# DIE GESCHICHTE DER WÖRTER

## FÜR KINDER

MARY RICHARDS

# DIE GESCHICHTE DER WÖRTER

## FÜR KINDER

ILLUSTRIERT VON ROSE BLAKE

MIDAS

# INHALT

# EINFÜHRUNG

**In dieser Geschichte der Wörter** denken wir darüber nach, was Wörter sind und wie wir sie nutzen. Wir betrachten, wie wir Wörter einsetzen, um miteinander zu sprechen, Geschichten zu schreiben und die Vergangenheit aufzeichnen. Wir erfahren, wie unsere Vorfahren in der Antike die Sprache verwendeten und später mit dem Aufschreiben von Wörtern begannen – und welche Werkzeuge sie dafür erfinden mussten. Wir werden auch erkunden, wie die Technik die Kommunikation der Menschen untereinander im Laufe der Jahrhunderte verändert hat – von der Erfindung des Papiers und des Buchdrucks bis hin zum Smartphone. Du lernst Schriftstellerinnen und Schriftsteller, Erfinderinnen und Erfinder, Wissenschaftlerinnen und Wissenschaftler, Rednerinnen und Redner kennen, die wunderbare Dinge mit Wörtern tun. Du wirst historischen Menschen begegnen, von zum Beispiel *Prinzessin Enheduanna* aus dem Reich von Akkad, deren Verse vor 5.000 Jahren an die Wände eines Sumerischen Tempels geschrieben wurden, bis zum Amerikaner *Lin-Manuel Miranda*, dessen Texte heute in Theatern auf der ganzen Welt aufgeführt werden.

> Ich bin Mary, die Autorin. Ich setze gern Wörter zusammen und mache daraus Sätze, Kapitel und Bücher – wie dieses! Ich lese auch gern Wörter, vor allem die von solchen Autorinnen und Autoren, deren Bücher ich liebe, seit ich lesen gelernt habe.

Einige der Menschen, denen wir auf dieser Reise begegnen werden, sind berühmt – andere sind uns bis heute ein absolutes Rätsel! Das Bild oben zeigt eine Frau, die einen Griffel aus Schilfrohr und eine Wachstafel (ein mit Wachs überzogenes Stück Holz) hält. Ihr Porträt wurde in den Ruinen der italienischen Stadt Pompeji gefunden, die beim Ausbruch des Vesuvs im Jahr 79 n. Chr. zerstört wurde. Einige Gelehrte glauben, dass es sich um ein Porträt der griechischen Dichterin Sappho handeln könnte, aber wir wissen es nicht genau – wir können nur sagen, dass es sich um eine Frau handelt, die gerne schrieb.

Wenn du wissen möchtest, was wann passierte, bekommst du einen Überblick auf dem Zeitstrahl auf Seite 90 – dort sind die wichtigsten Daten aus unserer *Geschichte der Wörter* zu finden. Begriffe, die du vielleicht nicht kennst, kannst du im Glossar auf Seite 92 nachschlagen. Du wirst beim Lesen auch immer wieder Rose Blake begegnen, der Illustratorin – genau wie du freut sie sich darauf, all die großen Wortschöpfer zu treffen. Los geht's also!

*Ich bin Rose und ich habe dieses Buch illustriert. Als Kind wohnte ich gegenüber einer Bibliothek. Schon damals steckte ich meine Nase gern in Bücher! Ich zeichne gern und liebe es, mit meinen Bildern die Wörter und Sätze auf den Buchseiten zu erklären.*

# DAS ERSTE WORT
## Wie verwenden wir Wörter?

Ich bin ein Blauwal. Ich verwende tiefe Stöhnlaute, um mich mit meinen Freunden zu verständigen. Manchmal bin ich über 1.000 Kilometer weit zu hören!

Ich bin Helen Keller. Als ich 19 Monate als war, verlor ich mein Gehör und wurde blind. Trotzdem lernte ich sprechen, schreiben und lesen. Ich bin Autorin mehrerer Bücher.
Ich bin Christine Sun Kim. Ich mach Kunst darüber, wie Menschen kommunizieren.

## Wörter und Kommunikation

**Hast du ein Lieblingswort?** Gibt es ein Wort, das du häufiger verwendest als andere? Täglich benutzen wir Wörter, um zu sprechen, zu lesen und zu schreiben. Mit Wörtern können wir erklären, was wir denken, und wir können verstehen, was andere Menschen uns sagen. Wir können mit ein oder zwei kurzen Wörtern auf uns aufmerksam machen oder aus den vielen Tausend Wörtern, die wir kennen, eine lange Geschichte erzählen.

Nicht nur wir Menschen kommunizieren miteinander, doch nur wir benutzen Wörter. Tiere kommunizieren auch, aber mit unterschiedlichen Lauten. Blauwale, »sprechen« über Tausende von Kilometern mit pulsierenden und stöhnenden Lauten miteinander. Näher an uns dran ist mein schlaues Huhn Chuckle, das einmal am Küchenfenster erschien und einen Alarmruf ausstieß. Es wollte uns mitteilen, dass wir seinen Stall offen gelassen hatten und dass seine Freunde ausgebüxt und im Garten unterwegs waren. Chuckle hat die Botschaft erfolgreich weitergegeben – und wir haben die Hühner sicher in ihr Haus zurückgebracht. Aber selbst Chuckle könnte keine Rede halten, kein Buch schreiben oder im Internet nach Informationen suchen!

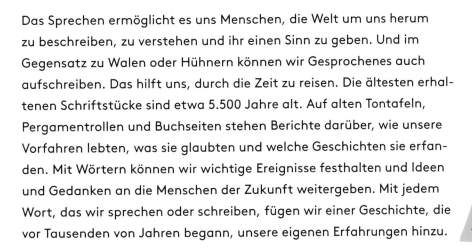

Das Sprechen ermöglicht es uns Menschen, die Welt um uns herum zu beschreiben, zu verstehen und ihr einen Sinn zu geben. Und im Gegensatz zu Walen oder Hühnern können wir Gesprochenes auch aufschreiben. Das hilft uns, durch die Zeit zu reisen. Die ältesten erhaltenen Schriftstücke sind etwa 5.500 Jahre alt. Auf alten Tontafeln, Pergamentrollen und Buchseiten stehen Berichte darüber, wie unsere Vorfahren lebten, was sie glaubten und welche Geschichten sie erfanden. Mit Wörtern können wir wichtige Ereignisse festhalten und Ideen und Gedanken an die Menschen der Zukunft weitergeben. Mit jedem Wort, das wir sprechen oder schreiben, fügen wir einer Geschichte, die vor Tausenden von Jahren begann, unsere eigenen Erfahrungen hinzu.

## Der Beginn der Sprache

**Über Jahrtausende** haben Menschen eine einzigartige Fähigkeit entwickelt, miteinander zu kommunizieren. Heute werden auf der ganzen Welt über 7.000 verschiedene Sprachen gesprochen. Aber wie ist Sprache entstanden? Und warum? Entstand sie nur bei einer bestimmten Gruppe von Menschen, oder entwickelte sie sich an verschiedenen Orten gleichzeitig? Wissenschaftlerinnen und Wissenschaftler, die sich mit der Evolution beschäftigen, sind an diesen Fragen sehr interessiert. Niemand kennt das erste Wort, das jemals gesprochen wurde, oder weiß genau, wie aus den Grunzlauten und Gesten unserer Vorfahren die Sprache wurde, die wir kennen. Aber es macht Spaß, sich vorzustellen, wie sie Geräusche oder Wörter benutzten, um »Gefahr« zu signalisieren (»Da kommt ein Bär!«) oder um die Aufmerksamkeit der anderen zu erregen. Die meisten Wissenschaftlerinnen und Wissenschaftler sind sich einig, dass sich die Sprache sehr langsam entwickelt hat. Indem die Menschen miteinander sprachen, konnten sie besser überleben. Sie konnten gemeinsam Steinwerkzeuge herstellen, die sie für die Jagd auf wilde Tiere und die Bewirtschaftung des Landes benötigten. Im Laufe der Zeit schweißten ihre Geschichten, die sie einander erzählten, sie zusammen und gaben ihnen ein Gefühl der Zugehörigkeit.

Um herauszufinden, wie Sprache entstanden ist, suchen Wissenschaftlerinnen und Wissenschaftler nach Beweisen. Sie hören den Tausenden von heute gesprochenen Sprachen zu und sind auf der Suche nach Hinweisen, wie die Menschen in der Vergangenheit kommuniziert haben könnten. Sie studieren die Knochen unserer Vorfahren und die Gegenstände, die sie hergestellt haben. Sie untersuchen auch die DNA und die Gehirne der heutigen Menschen und unserer nächsten tierischen Verwandten, um festzustellen, wie verschieden oder ähnlich wir sind. Die moderne Wissenschaft kann heute winzige Stränge der menschlichen DNA analysieren und Gehirne mit leistungsstarken Computern scannen, die zeigen, welche Bereiche beim Sprechen, Lesen und Schreiben aktiviert werden.

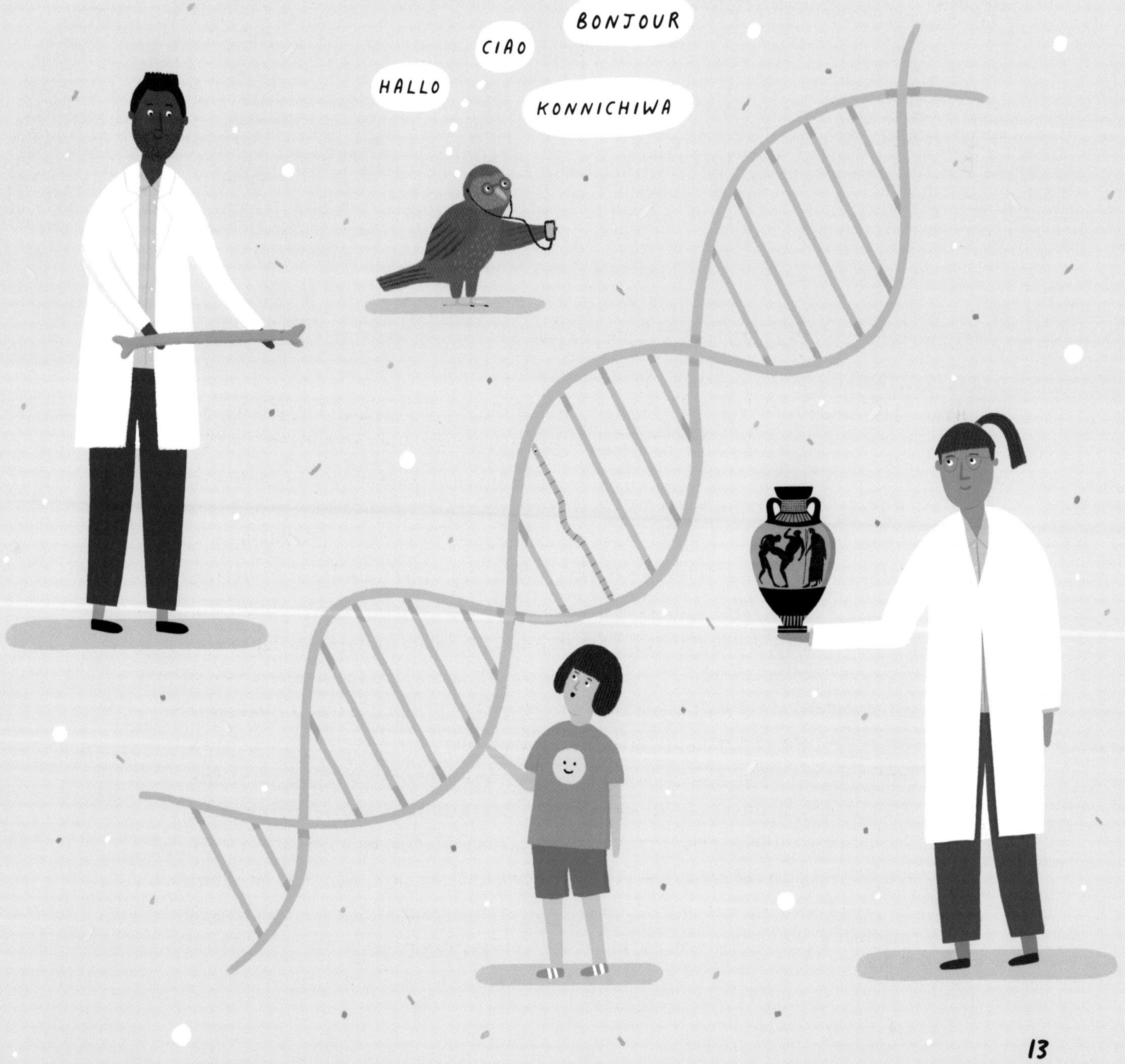

BONJOUR

CIAO

HALLO

KONNICHIWA

## Zum Sprechen geboren

**Unser Hirn und unser Körper** sind so gebaut, dass wir bereits in sehr jungem Alter versuchen, mit anderen zu kommunizieren. Wir machen vielleicht Geräusche oder ahmen sie nach, wir verziehen das Gesicht und setzen Körperbewegungen ein, um zu vermitteln, was wir denken und fühlen. Aber wir müssen unser Gehirn benutzen, um diese Signale zu interpretieren und zu verstehen. Denken wir einmal darüber nach, wie Babys sprechen lernen. In den ersten Wochen und Monaten geben sie Geräusche von sich, die zunächst wie Unsinn erscheinen. Aber bereits mit zwei oder drei Jahren sind sie in der Lage, Wortfolgen zu bilden und sogar in Sätzen zu sprechen. Diese Gruppen von Lauten und Wörtern ergeben zusammen eine Sprache.

Sprachen können sehr verschieden klingen. Die Menschen auf der ganzen Welt benutzen ihren Mund, ihre Zunge und ihre Kehle, aber auf unterschiedliche Weise. Von Klicksprachen wie Xhosa (eine der vielen in Südafrika gesprochenen Sprachen, die Klick-Laute enthält) bis zu europäischen Sprachen wie Deutsch (dessen »R« im hinteren Teil des Mundes produziert wird). Aber wo auch immer wir leben: Wie wir Sprache lernen, ist gleich. Neuronen (die winzigen elektronischen Nervenzellen in unserem Gehirn) werden aktiviert und stellen neue Verbindungen und Bahnen her. Die Fähigkeiten des Lesens und Schreibens wurden erst viele Jahre später erfunden, nachdem die Menschen sprechen gelernt hatten – und es dauert etwas länger, bis man sie beherrscht. Dennoch können wir im Alter von sieben oder acht Jahren bereits Hunderte von Buchstaben und Wörtern erkennen. Zehn Jahre später sind wir in der Lage, komplizierte Texte und Ideen zu verstehen. Tatsächlich ist das menschliche Gehirn so konzipiert, dass wir nie aufhören zu lernen.

Der Name »Wurm« stammt aus dem Lateinischen. Als »Vermes« bezeichneten die Naturforscher Carl von Linné (1707-1778) und Jean-Baptiste Lamarck (1744-1829) alle wirbellosen Tiere, egal welcher Abstammung. Heute gilt diese Einteilung als veraltet.

WÜRMER ATMEN DURCH IHRE HAUT!

TAXONOMIE DES WURMS

WURM- FAKTEN

# Bewegungen und Bedeutung

**Bestimmt hast du schon einmal eine Nachricht gelesen,** die dir jemand als E-Mail oder SMS geschickt hat, und dich gefragt, was der Absender eigentlich meint. Das liegt daran, dass Menschen auf viele Arten kommunizieren. Mimik, Gestik und Tonfall sind wichtig, um eine Bedeutung zu vermitteln. Ein Lächeln, ein Stirnrunzeln oder ein Augenzwinkern können helfen, genauer zu erklären, was wir sagen wollen. Der Tonfall unserer Stimme, unser Gesichtsausdruck oder die Tatsache, ob wir am Ende des Satzes die Tonhöhe anheben oder senken, tragen dazu bei, dass unsere Worte einen Sinn ergeben.

Für die Kommunikation nutzen und kombinieren Menschen oft die fünf klassischen Sinne Sehen, Hören, Tasten, Schmecken und Riechen. Aber wir brauchen nicht alle. *Helen Keller* (1880–1968) wurde in Alabama, USA, geboren. Sie wurde als Kind krank, daraufhin erblindete sie und verlor ihr Gehör. Sie lernte, sich mithilfe ihres Tastsinns zu verständigen, indem sie Zeichen und später auch Wörter auf ihre Handfläche schrieb. Helen lernte auch zu sprechen, indem sie die Lippen anderer Sprecher berührte, und sie lernte die Brailleschrift zu lesen, die in den 1820er Jahren entwickelt wurde. Diese verwendet erhöhte Punkte, die beim Lesen ertastet werden. Helen besuchte die Harvard University und schrieb schließlich selbst viele Bücher.

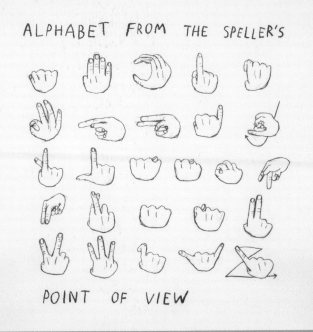

CHRISTINE SUN KIM, *Das Alphabet aus Sicht des Sprechers*, 2019.
[in amerikanischer Zeichensprache]

Die amerikanische Künstlerin **Christine Sun Kim** (*1980) ist für ihre Zeichnungen, Performances und Installationen bekannt. Sie wurde gehörlos geboren und kommuniziert mit der Gebärdensprache. Dabei werden Formen und Bewegungen der Finger und Hände mit anderen kombiniert, zum Beispiel mit dem Gesichtsausdruck. Für die meisten Wörter und Sätze gibt es spezielle Zeichen, aber manchmal werden auch einzelne Buchstaben verwendet, um Wörter mit den Fingern zu buchstabieren. Christine Sun Kims Arbeit *Alphabet from the Speller's Point of View* (2019) zeigt die 26 Buchstabenzeichen der amerikanischen Gebärdensprache aus der Perspektive des »Sprechenden« und nicht aus der Perspektive der Person, mit der sie kommuniziert. ASL (American Sign Language) ist eine von rund 300 Gebärdensprachen, die heute auf der Welt verwendet werden.

# WÖRTER SCHREIBEN
## Wie und wann haben wir angefangen zu schreiben?

Ich bin Prinzessin Enheduanna aus Akkadien. Meine Verse wurden auf die Wände des sumerischen Tempels von Ur in einer der ersten Schriftsprachen aufgezeichnet: Keilschrift.

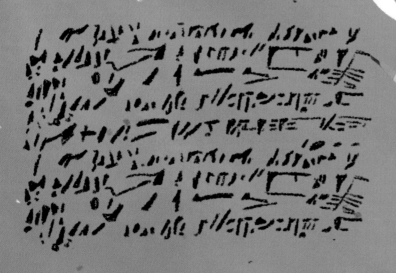

Ich bin Wang Xizhi. In Chinas Jin-Dynastie war ich ein Experte in der Kunst der Kalligrafie. Meine kunstvollen Schriftzeichen in Tinte auf Seidenrollen wurden von Schülern seither immer wieder kopiert.
Wir sind Jacob und Wilhelm, bekannt als die Brüder Grimm. Im Jahr 1812 haben wir eine Sammlung von Märchen veröffentlicht, die seit Jahrhunderten erzählt wurden, darunter Aschenputtel, Rotkäppchen und Schneewittchen.
Aschenputtel

# Geschichten erzählen

**Viele Tausend Jahre bevor die Schrift erfunden wurde,** gab man Geschichten mündlich weiter. An Lagerfeuern und in Höhlen erzählten unsere Vorfahren einander von Helden und Abenteurern, von der Entstehung der Welt und von Wesen, die lehrten, was richtig und falsch ist. Wenn es dir schlecht geht, kann dich eine hoffnungsvolle Geschichte aufmuntern. Wenn du Böses im Sinn hast, kann dich eine Geschichte möglicherweise davon abbringen. Der Austausch von Geschichten brachte die Menschen damals zusammen, genauso wie heute.

Geschichten wurden erzählt und wieder erzählt und von Reisenden immer weiter getragen. Tausende von Jahren lang wurden sie gar nicht aufgeschrieben. Die alten griechischen Abenteuer wie die *Ilias* und die *Odyssee* von **Homer** wurden schon lange vor ihrer Aufzeichnung im 8. Jahrhundert v. Chr. erzählt. Eine Theorie besagt, dass das griechische Alphabet (das etwa zur gleichen Zeit erfunden wurde) extra geschaffen wurde, um diese epischen Erzählungen zu bewahren.

Du wirst überrascht sein, wie alt einige der Geschichten in deinem eigenen Bücherregal bereits sind! Die Wissenschaft hat das Märchen von *Aschenputtel*, das 1812 durch die Brüder **Jacob Grimm** (1785–1863) und **Wilhelm Grimm** (1786–1859) berühmt wurde, bis auf die 2.000 Jahre alte griechische Sage von Rhodopis zurückverfolgt. Sie berichtet von einem Mädchen, das einen Pharao heiratet, nachdem sein Fuß in eine goldene Sandale passt. In einer chinesischen Version des Märchens, die um 860 n. Chr. erzählt wurde, wird das fleißige Mädchen Xe Yian durch Zauberei in eine Prinzessin verwandelt und verliert auf einem Fest ihren Schuh. Könnte es sich bei diesen Geschichten um ein einziges Märchen gehandelt haben? Oder ist der Traum, Prinz oder Prinzessin zu werden, so mächtig, dass er immer wieder neu erfunden wurde, in verschiedenen Zeiten und Ländern?

# Die erste Schrift

**Die Erfindung der Schrift veränderte die Welt.** Aber das war ein langer Prozess, über viele Jahre hinweg. Du liest dies jetzt (oder vielleicht liest es dir jemand vor) und nutzt dabei Fähigkeiten, die deine Vorfahren über Zehntausende von Jahren entwickelt haben.

Überall auf der Welt haben Archäologinnen und Archäologen viele verschiedene Beispiele für frühe Schrift gefunden. Die ersten Zeichen – einige über 30.000 Jahre alt – wurden in Stein geätzt und auf Höhlenwände gemalt, zwischen Zeichnungen von Bisons und anderen Tieren. In China wurden Schriftzeichen auf alten Schildkrötenpanzern und Tierknochen entdeckt. Sie sind als »Orakelknochen« bekannt, weil sie für die Zukunftsvorhersage verwendet wurden. Die beschrifteten Knochen wurden in einer besonderen Zeremonie in ein Feuer gelegt, und die dabei entstandenen Risse wurden entziffert. Doch nicht alle alten Zeichen wurden mit der Hand geschrieben – in Südamerika hielten die Inkas Informationen auf geknoteten Schnüren fest, den sogenannten »Khipus«.

Diese Tontafel wurde vor 4.000 Jahren von den Sumerern geschaffen, einem alten Volk, das in der Region zwischen den Flüssen Tigris und Euphrat im heutigen Irak und Syrien lebte. Sie ist in Keilschrift geschrieben – eine der frühesten Schriftsprachen, die wir heute entziffern können. Die kleinen Symbole wurden mit einer Rohrfeder in feuchten Ton gedrückt. Für uns sehen sie rätselhaft und seltsam aus – wie für viele Menschen damals auch. Nicht jeder konnte lesen, das wurde von ausgebildeten Schreibern übernommen, die ihr Handwerk in speziellen Schulen erlernten. Dieser Text ist nicht besonders aufregend. Es wird nur aufgezeichnet, wie viele Ziegen und Schafe es gab. Wie bei vielen frühen Schriften ist der Text hier in vertikalen Spalten und von rechts nach links geschrieben.

Tontafel mit Keilschrift, um die Anzahl der Ziegen und Schafe aufzuzeichnen

## Laute als Symbole

**Keilschrift wurde nicht nur verwendet, um Fakten und Zahlen aufzuzeichnen.** Über Hunderte von Jahren veränderte sich ihre Form und wurde den heutigen Buchstaben immer ähnlicher. Schließlich verfassten Autoren wie die akkadische Prinzessin *Enheduanna* (2285–2250 v. Chr.) ganze Texte in Keilschrift. Enheduanna »signierte« sogar eine Reihe von Gedichten an einer Wand im großen Tempel von Ur mit ihrer persönlichen »Unterschrift« – was sie zu einer der frühesten Schriftstellerinnen macht, die uns bekannt sind.

Etwa zur gleichen Zeit wie die Sumerer schrieben und ritzten auch die Ägypter Schriftzeichen in die Wände ihrer Paläste und Gräber. Die ersten Hieroglyphen tauchten um 3200 v. Chr. auf. Später schrieben die ägyptischen Schreiber auf Papyrus, eine Art Papier, das aus Schilfrohr vom Ufer des Nils hergestellt wurde. Obwohl Hieroglyphen auf den ersten Blick wie Bilder aussehen, handelt es sich um eine detaillierte Sprache aus Bildern, Symbolen und Lauten.

Antikes Kästchen aus dem Grab des Tutanchamun

MOND

Die Wissenschaftlerinnen und Wissenschaftler diskutieren noch heute darüber, wie aus all diesen frühen Zeichen die heutige Schrift entstanden ist. Sie sind sich einig, dass die Logogramme (Bilder, die Dinge darstellen, zum Beispiel das Bild eines Schafs oder des Mondes) ganz allmählich durch Phonogramme (Symbole, die für Laute stehen, wie die Buchstaben sch-a-f oder m-o-n-d) ersetzt wurden. Seit der Entschlüsselung des Codes (siehe Seite 68) weiß man, dass dieses Kästchen aus dem Grab des jungen Pharaos Tutanchamun (regierte von ca. 1333–1323 v. Chr.) seinen Namen in einer Mischung aus »Bild«- und »Klang«-Zeichen buchstabiert.

In einigen Sprachen werden auch heute noch Bildzeichen und Laute gemischt. Kinder, die Chinesisch lernen, müssen mehrere Tausend Logogramme schreiben lernen, bis sie die Sprache beherrschen. Im geschriebenen Chinesisch besteht das Wort »wütend« zum Beispiel aus zwei Zeichen – »Feuer« und »groß«.

Kannst du eine eigene Sprache erfinden? Nimm dir ein Blatt Papier und zeichne ein paar Ideen auf!

蟲　　　　貓頭鷹

WANG XIZHI, *Am siebzehnten Tag*

## Super-Skripte

Manche Experten können Buchstaben in richtige Kunstwerke verwandeln. In China verbrachten im 4. Jahrhundert berühmte Kalligrafen wie **Wang Xizhi** (303–361) Jahrzehnte mit dem Studium und dem Schreiben von Tausenden chinesischer Schriftzeichen. Mit Pinseln aus feinem Tierhaar konnten die Kalligrafen sehr unterschiedliche Striche ausführen – dünn, dick, schnurgerade oder geschwungen. Die Schriftzeichen mussten auf eine bestimmte Weise gezeichnet werden, jeder Strich in der richtigen Reihenfolge und alles von einem Lehrer beigebracht. Während die chinesische Sprache Tausende von Symbolen enthält, gibt es Schriften, die mit viel weniger Zeichen auskam. Eine der frühesten Schriften war das griechische Alphabet, das um 800 v. Chr. entstand und nur 24 Buchstaben umfasste.

A B Γ Δ E Z

H Θ I K Λ M

N Ξ O Π P Σ

T Y Φ X Ψ Ω

Im ägyptischen und sumerischen System mussten tausend oder mehr Keil-schriftzeichen oder Hieroglyphen erlernt werden, sodass man im griechi-schen System viel leichter schreiben – und lesen – konnte. Der griechische Philosoph Sokrates beklagte jedoch, dass die Schrift das Gedächtnis der Menschen ruinieren würde!

Einige handgeschriebene Schriften sind in Aussage und Aussehen so schön, dass viele glauben, sie kämen direkt von Gott. Seit den Anfängen des Islams im 7. Jahrhundert wurde die arabische Schrift in kunstvollen, dekorativen Zeichen geformt und konnte nur von ausgebildeten Experten geschrieben werden. Sie wurde mit einer biegsamen, in Tinte getauchten Rohrfeder geschrieben, die präzise Punkte, aber auch fließende, geschwun-gene Linien erzeugen konnte. Wichtige Botschaften aus dem Koran wurden auf heilige Gebäude geschrieben, wo sie sich mit auffälligen geometrischen Mustern vermischten. Mehr über religiöse Texte erfährst du auf Seite 36.

# Von der Tafel zum Tablet - Schreibwerkzeuge

Wir können auch heute noch die Worte lesen, die von den Chinesen in Knochen geritzt, von den Sumerern in Ton gebrannt oder von den Römern in Stein gemeißelt wurden. Auf Pergament (eine frühe Art von Papier aus gereinigten und zum Trocknen aufgespannten Tierhäuten) geschriebene Texte haben Tausende von Jahren überlebt. Wie eine Tätowierung kann die in die Haut geritzte Tinte nicht herausgerieben werden – sie ist unzerstörbar! Die Maya in Südamerika benutzten Jaguarfell, um ihre Bücher einzuschlagen.

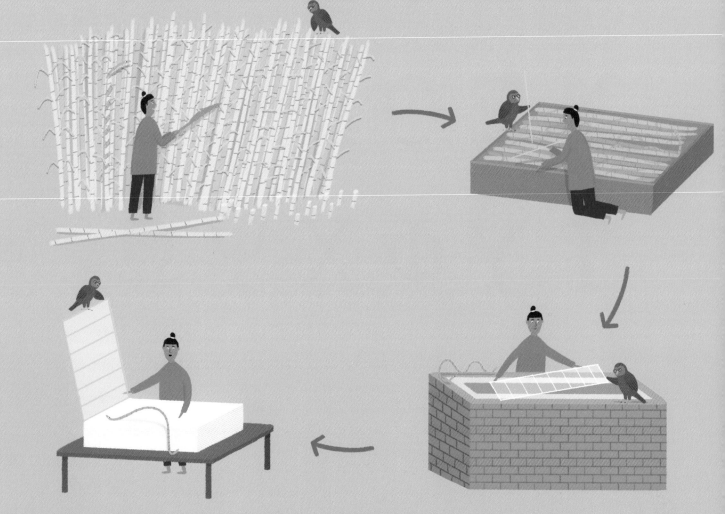

Papier – wie wir es heute kennen – wurde um 100 n. Chr. in China erfunden. Es wurde aus der zerkleinerten Rinde des Maulbeerbaums, vermischt mit Fasern und Wasser, hergestellt. Jahrelang war das Rezept ein streng gehütetes Geheimnis, aber im 8. Jahrhundert hatte sich die Kunst der Papierherstellung bis nach Südasien und in den Nahen Osten ausgebreitet. Schon bald waren die Bücherstände und Bibliotheken mit unzähligen Schriftrollen und Manuskripten gefüllt.

Erstaunlicherweise tragen viele Werkzeuge, die in der Vergangenheit zum Schreiben verwendet wurden, die gleichen Namen wie die elektronischen Geräte, die wir heute benutzen. Die »Tafel« (englisch »tablet«) – in der Antike ein Stück Stein oder Ton – ist auch der Name für das intelligente Gerät, mit dem wir Spiele spielen, fernsehen, zeichnen und lesen. Manchmal werden diese Geräte mit einem »Griffel« oder »Stylus« bedient – einem Stift, der nach dem harten Schilfrohr benannt ist, mit dem man auf Pergament und Papyrus schrieb. Unsere modernen Federhalter basieren auf frühen Federkielen, deren hohle Stiele sich hervorragend zum Aufnehmen von Tinte eigneten. In der Schule benutzt man natürlich immer noch Bleistifte, Füllhalter oder Kugelschreiber – aber viele verfassen ihre Arbeit heute im Sitzen an einer Tastatur. Glaubst du, dass die Dokumente und Nachrichten, die wir auf Computern schreiben, genauso lange halten wie die Texte, die in der Vergangenheit auf Ton, Knochen und Stein geschrieben wurden?

# WÖRTER LESEN
## Wer liest, was geschrieben ist?

Ich bin König Assurbanipal, Gründer einer der größten Bibliotheken der Antike. In ihren Ruinen wurde eine der ältesten erhalten gebliebenen Geschichten gefunden – das Gilgamesch-Epos.

### Die ersten Leserinnen und Leser

**Die meisten Menschen beginnen in den ersten Lebensjahren zu sprechen,** das lernen wir also ganz natürlich. Lesen ist jedoch etwas komplizierter, denn bis wir das können, dauert es länger. Wir lernen langsam und sorgfältig lesen – ob Mandarin, Englisch, Deutsch, Arabisch oder Russisch – egal in welcher Sprache. Wenn du das jetzt liest und es dir nicht schwerfällt, kannst du dir ruhig mal auf die Schulter klopfen!

Die ersten Menschen, die lesen konnten, haben natürlich keine Bücher gelesen. Sie »lasen« Bilder, Symbole und andere Zeichen, die ihnen als Gedächtnisstütze dienen sollten – um sie daran zu erinnern, wie viel sie für ihre Ziegen bezahlt hatten oder wem ein bestimmtes Feld gehörte. Wie wir gesehen haben, wurde die Idee einer vollständigen Schriftsprache – wie wir sie heute kennen – von den Sumerern und Ägyptern erfunden und verbreitete sich bald in der antiken Welt. Aber wenige Menschen in der Antike konnten tatsächlich lesen. Sie brauchten es auch nicht. Von Griechenland bis China wurde das Lesen, ebenso wie das Schreiben, von Gelehrten und Schreibern übernommen. Die Aufgabe eines Schreibers bestand darin, laut zu lesen und Dinge abzuschreiben – und ein paar Tausend Jahre lang waren die Texte vor allem dazu bestimmt, in der Öffentlichkeit vorgelesen zu werden. Die Idee des stillen Lesens – für sich allein und nur zum Spaß – wurde erst im 19. Jahrhundert populär, als immer mehr Menschen auf der ganzen Welt lesen lernten.

# Ein Haus für Bücher

**Während Städte größer wurden und Menschen Handel trieben,** musste viel mehr geschrieben werden – und gelesen. Tatsächlich schrieben unsere Vorfahren so viele Texte – auf Tontafeln, Papyrusrollen und Pergament –, dass sie sich überlegen mussten, wie sie das alles aufbewahren sollten. In der Antike wie in der Gegenwart war der Ort, an dem wichtige Texte gesammelt und aufbewahrt wurden, die Bibliothek. Der assyrische **König Assurbanipal** (er regierte von 668–ca. 627 v. Chr.) hatte eine Bibliothek in der prachtvollen Stadt Nineveh, die über 30.000 Tafeln mit Keilschrift aufbewahrte. Hier wurde die älteste überlieferte Geschichte entdeckt – das 4.000 Jahre alte *Gilgamesch-Epos*.

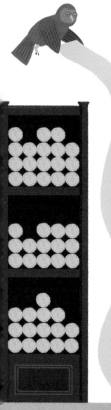

In Ägypten soll die Große Bibliothek von Alexandria – die größte Bibliothek der Antike (gegründet um 285-246 v. Chr.) – Hunderttausende von Papyrusrollen enthalten haben. Jedes Schiff, das im Hafen ankam, musste seine Bücher anmelden, die dann in die Bibliothek gebracht, von Schreibern kopiert und der Sammlung hinzugefügt wurden. Diese war nach Themen wie Medizin oder Poesie und in der Reihenfolge des (griechischen) Alphabets angeordnet, von Alpha bis Omega. Orte wie das Haus der Weisheit in Bagdad oder die großen Bibliotheken von Timbuktu waren nicht nur Aufbewahrungsorte für wichtige Texte, sondern wurden auch zu Zentren des Lernens. Gelehrte trafen sich dort, um Wissen zu teilen und Studenten zu unterrichten; sie sammelten, übersetzten, unterrichteten und studierten Texte aus der ganzen Region.

New York Public Library, 1911

Natürlich sammeln und lagern wir auch heute noch Bücher! Jedes einzelne Buch, das veröffentlicht wird (auch dieses), gelangt per Gesetz in die Sammlungen der größten Bibliotheken der Welt. Die British Library in London ist die größte der Welt. Sie hat über 25 Millionen Bücher in ihrer Sammlung und benötigt 625 km Regale, um sie alle zu lagern – ein Großteil davon unterirdisch! Die Bibliotheken in deiner Stadt werden nicht so groß sein wie die in Paris, New York oder Shanghai. Aber unabhängig von der Größe der Bibliothek tun die Bibliothekarinnen und Bibliothekare alles, um sie mit Büchern und anderen Medien zu versorgen und für alle zugänglich zu machen.

*Der heilige Georg erschlägt den Drachen,* aus einem *Stundenbuch*, 15. Jahrhundert

# Heilige Bücher

**Schriften verbreiteten sich in der antiken Welt,** viele der ersten geschriebenen Texte waren religiöser Art. Schreiber und Mönche übertrugen die heiligen Worte Gottes, wie sie danach Mohammed überliefert wurden (der *Koran*), auf Papyrus, Pergament und Papier; Epen der Hindu-Götter wie Krishna, Rama und Sita (das *Mahabharata* und das *Ramayana*); die Geschichten von Abraham, Moses und Noah (die *Bibel*); oder die philosophischen Schriften von Lao-Tzu (das *Tao Te Ching*). Diese Texte wurden mit großer Sorgfalt in Tempeln, Klöstern und Bibliotheken kopiert und studiert. Von den Qumran-Schriftrollen vom Toten Meer, dem ältesten erhaltenen religiösen Text (408 v. Chr. – 318 n. Chr.), bis zum frühesten bekannten Buch, dem buddhistischen Diamant-Sutra (868 n. Chr.), waren es die Texte selbst, die angebetet wurden – denn man glaubte, sie wären direkt von Gott gesandt.

Bücher – aus Pergament hergestellt und in Leder gebunden – ermöglichten es, diese heiligen Worte weit und breit bekannt zu machen. Bilderhandschriften wie das *Book of Kelts* (9. Jahrhundert) und später kleine Bücher mit christlichen Gebeten, die als »Stundenbücher« bekannt sind, waren einmalig, sorgfältig, aufwendig verziert und illustriert. Ein einzelner Mönch in einem Kloster brauchte über ein Jahr, um eine Bibel abzuschreiben. Das war eine aufwendige, intensive Arbeit. Die Zeilen mussten sehr sauber auf dem feinen, wertvollen Pergament verteilt werden.

Wie viele Wörter, glaubst du, stehen in diesem Buch? Kannst du es erraten? Ein Schreiber könnte sich eine Seite ansehen und dir genau sagen, wie lange er zum Abschreiben brauchen würde.

Im Gegensatz zu Schriftrollen, die aufgefaltet werden mussten, waren Bücher für Leserinnen und Leser gedacht. Sie waren klein genug, dass eine Person sie handhaben konnte – auf einem Lesepult oder in der Hand. Es gab auch Platz um den Text herum – die sogenannten Marginalien –, in die jede bzw. jeder eigene Notizen machen konnte.

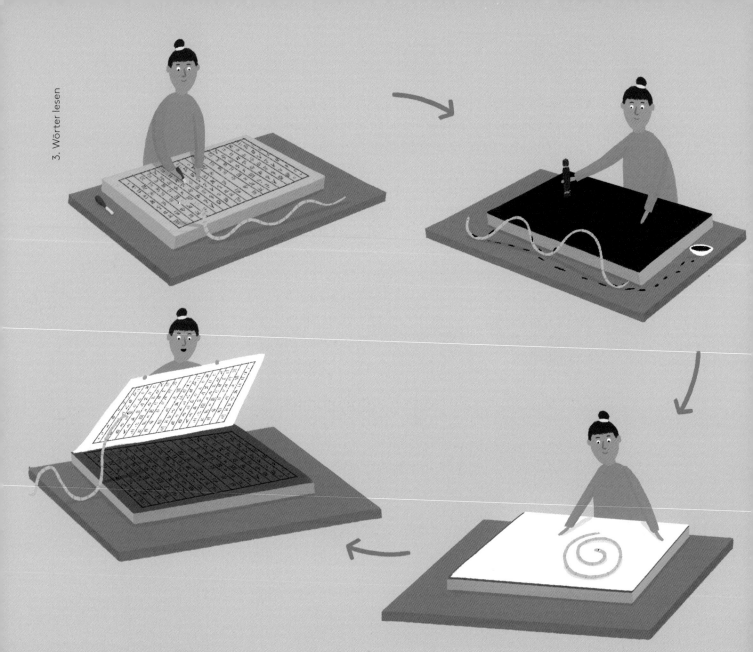

## Im Druck

**Die nächste große Veränderung** in der Geschichte der
Wörter war die Erfindung des Buchdrucks. Nun konnten viele Exemplare
eines einzigen Textes auf einmal hergestellt werden. Alles begann
in China. Ab etwa 800 wurden Text und Illustrationen von Hand in
Holzblöcke geschnitzt, die dann mit Tinte überzogen wurden. Blätter
aus Papier (aus der Rinde des Maulbeerbaums, siehe Seite 28) wurden
dagegengepresst und die losen Seiten zusammengebunden. Der
Text musste spiegelverkehrt geschnitzt werden. An den Höfen der
chinesischen Song-Dynastie (960-1279) wurden Bücher zum ersten Mal
in der Weltgeschichte weit verbreitet. Die Menschen lasen nicht nur
Klassiker wie die Lehren des Buddha, sondern liebten auch Geschichten,
Gedichte und Erzählungen über die Herrscherfamilien des Landes.

Alles änderte sich erneut, als **Johannes Gutenberg** in Mainz in den 1440er Jahren die Druckerpresse erfand. Dabei wurden die Seiten mit einzelnen Lettern oder »Typen« aus Blei »gesetzt«, die in verschiedenen Kombinationen verschoben werden konnten. Mit dieser Methode konnten Bücher in hohen Auflagen auf einmal gedruckt werden. Die *Bibel* war das erste Buch, das auf diese Weise gedruckt wurde, und sie war ein Bestseller! Die Gutenberg-Bibel wurde in lateinischer Sprache gedruckt, die Schrift war der alten handgeschriebenen Version sehr ähnlich; nur Experten konnten sie lesen. Erst spätere Ausgaben (wie Martin Luthers Version, die 1534 ins Deutsche übersetzt wurde), konnten von viel mehr Menschen gelesen werden. Bis heute sind schätzungsweise mehr als 5 Milliarden Exemplare der *Bibel* in über 700 Sprachen gedruckt worden.

Gutenbergs Druckerpresse löste eine Revolution aus. Bald wollte jeder Bücher haben! Der Italiener Aldus Manutius (ca. 1450-1515) begann 1490 mit dem Druck von griechischen und römischen Klassikern im Taschenformat – und hatte damit großen Erfolg. Es wurden nicht nur Bücher gedruckt. Auch Zeitungen, Flugblätter und Plakate, die schnell hergestellt werden konnten, verbreiteten sich in den Städten. Mehr Bücher und mehr Texte führten natürlich auch zu mehr Lesern!

ES WAR
EINMAL ...

# Geschichten lesen

**Welche Geschichten liest du gern?** Magst du Geschichten, in denen die Heldinnen und Helden in ein Abenteuer ziehen? Fantastische Geschichten, in denen Tiere sprechen und Menschen magische Kräfte haben? Oder stehst du eher auf Geschichten aus dem wirklichen Leben, die an einem realen historischen Ort spielen?

Seit Jahrhunderten und in allen Ländern der Welt beginnen Geschichten mit Sätzen wie: »Es war einmal ...« oder »Vor langer Zeit ...« Diese Worte sagen dem Leser, dass er das, was er kennt, hinter sich lassen und sich auf eine neue, aufregende Welt einstellen muss. Wenn wir ein Buch aufschlagen und zu lesen beginnen, bringen wir unsere eigenen Erfahrungen mit. Wir denken an alle Geschichten, die wir je gelesen haben, und vergleichen das Leben und die Handlungen der Figuren mit unseren eigenen. Das macht jedes Buch für jeden Leser anders.

Wissenschaftlerinnen und Wissenschaftlern ist aufgefallen, dass viele der beliebtesten Geschichten der Welt eine ganz ähnliche Struktur haben. Die Handlungen einiger populärer Geschichten lassen sich bis zu einer der ersten aufgezeichneten Geschichten zurückverfolgen, dem 4.000 Jahre alten Gilgamesch-Epos, das von den Abenteuern des Heldenkönigs von Uruk auf der Suche nach dem Geheimnis des ewigen Lebens erzählt. Der Gelehrte *Joseph Campbell* (1904–1987) schrieb ein Buch, in dem er Mythen und Legenden aus aller Welt untersuchte und feststellte, was sie alle gemeinsam haben: die Reise eines Helden und seine Rückkehr mit neuen Erkenntnissen oder Kräften. Er nannte es *The Hero With A Thousand Faces* (1949). Inspiriert von diesem Buch, nutzte *George Lucas* (*1944) seine Ideen, um ein ziemlich berühmtes Drehbuch zu schreiben – *Star Wars*.

Fallen dir noch andere Bücher ein, die Geschichten von Heldentum, Abenteuern und Heimkehr erzählen? Vielleicht schreibst du eines Tages selbst eines.

# Die Vergangenheit erzählt

Wenn wir die Texte von Menschen aus der Vergangenheit lesen, werden wir in der Zeit zurückversetzt. Briefe, Tage- und Notizbücher erzählen uns, was ihre Verfasser dachten und fühlten. Manchmal haben diese schriftlichen Aufzeichnungen sogar dazu beigetragen, die Geschichte zu verändern.

Weil sie so empfindlich sind, haben die meisten der vor Tausenden von Jahren geschriebenen Briefe nicht überlebt. Aber wir wissen aus historischen Berichten, dass unsere Vorfahren gerne Briefe schrieben – und dass diese Briefe oft von Tauben überbracht wurden. Taubenhäuser wurden in Dächer und Türme eingebaut, um die vielen Vögel zu beherbergen, die sicher und schnell Nachrichten von Herrschern, Schlachten und aus der Welt des Handels durch die antike Welt trugen. Diese Methode wurde jahrhundertelang beibehalten – Brieftauben spielten eine wichtige Rolle bei der Übermittlung von Nachrichten im Ersten und Zweiten Weltkrieg.

Handgeschriebene Seiten aus Anne Franks Tagebuch, Oktober 1942

Erhalten gebliebene alte Papiere geben uns Einblicke, wie Menschen in der Vergangenheit lebten und arbeiteten. Die Notizen des italienischen Universalgenies **Leonardo da Vinci** (1452–1519) sind mit seinen Untersuchungen zu Malerei, Architektur und Wissenschaft gefüllt. Für persönliche Beobachtungen und Gedanken verwendete er eine spezielle Spiegelschrift, die nur er selbst lesen konnte.

Wenn sie sicher aufbewahrt werden, können Briefe selbst ungewöhnliche Zeiten überstehen. 1942 bekam das jüdische Mädchen **Anne Frank** (1929–1945) zu ihrem 13. Geburtstag ein Tagebuch geschenkt. Einige Wochen später war ihre Familie gezwungen, sich vor den Nazis zu verstecken und im Hinterhaus eines Geschäftskontors unterzutauchen. Das Schreiben half Anne; sie schrieb über ihr Leben und begann sogar einen Roman. Zwei Jahre später wurde die Familie aufgespürt und nach Auschwitz deportiert. Annes versteckte Bücher und Papiere wurden von Unterstützerinnen der Familie entdeckt, die sie in Sicherheit brachten. Anne und ihre Schwester Margot starben nur wenige Monate vor Kriegsende im Konzentrationslager Bergen-Belsen. Annes Aufzeichnungen wurden ihrem Vater Otto übergeben, der sie 1947 veröffentlichte. Ihre Tagebücher wurden in über 70 Sprachen weltweit übersetzt – und dadurch lebt Annes Geschichte weiter.

# 4

# WÖRTER LERNEN
## Was ist Sprache?

Ich bin William Shakespeare. Ich habe im 16. und 17. Jahrhundert Theaterstücke geschrieben und Hunderte Wörter erfunden, die inzwischen zur englischen Sprache gehören. Zum Beispiel »gossip« (Tratsch).

Ich bin Kleopatra. Vor über 2.000 Jahren regierte ich über Ägypten. Ich beherrschte neun Sprachen, darunter Ägyptisch, Griechisch, Latein und Arabisch. So konnte ich mich mit Menschen aus verschiedenen Ländern unterhalten.
Ich bin Panini. Ich habe irgendwann zwischen 400 und 700 v. Chr. in Indien gelebt. Mein Buch über die Regeln – oder die Grammatik – der Sprache Sanskrit enthält die ältesten erhaltenen Studien darüber, wie Sprache funktioniert.

# Meine Sprache sprechen

Man nimmt an, dass heute über 7.000 Sprachen auf der ganzen Welt gesprochen werden – doch früher gab es noch viel mehr! Warum so viele? Sprachen entstanden in verschiedenen Teilen der Welt und haben sich unterschiedlich entwickelt. Mit der Zeit verbreiteten sie sich über den ganzen Globus. Die Menschen fügten neue Begriffe hinzu und bildeten verschiedene Arten der Aussprache alter Wörter. Die Sprachen vermischten sich auch auf faszinierende Weise miteinander.

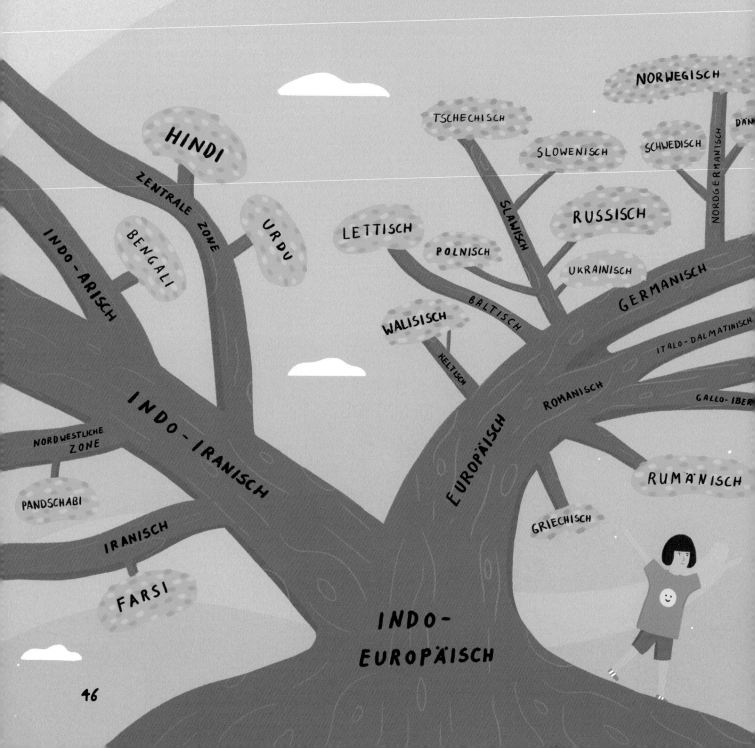

Die Linguistik untersucht die Sprachen der Welt und gruppiert sie in »Stammbäumen«, um zu zeigen, wie sie alle miteinander verbunden sind. Viele Sprachen aus derselben Region können in einer Gruppe zusammengefasst werden. Etwa ein Drittel aller Sprachen der Welt sind in Afrika beheimatet, dessen »Baum« sich in sechs verschiedene Familien verzweigt. Die größte Gruppe bilden die Sprachen, die seit mindestens 15.000 Jahren im Gebiet um den Niger und den Kongo gesprochen werden. In Skandinavien sind die dänische, die schwedische und die norwegische Sprache eng miteinander verwandt, aber das Finnische gehört zu einem ganz anderen Stammbaum – es lässt sich bis zu einer Sprache zurückverfolgen, die vor rund 10.000 Jahren im russischen Uralgebirge gesprochen wurde.

Gesprochene und geschriebene Sprache sind nicht immer identisch. Die Sprachen Chinas, einschließlich Mandarin und Kantonesisch, werden alle mit der gleichen Schrift geschrieben, aber wenn sie gesprochen werden, sind sie völlig unterschiedlich. Andererseits klingen die indischen Sprachen Hindi und Urdu sehr ähnlich, werden aber unterschiedlich geschrieben – Hindi in Devanagari-Schrift und Urdu in Nastaliq-Schrift. Selbst Menschen, die genau dieselbe Sprache sprechen, haben ganz unterschiedliche Akzente! Sprichst du deine Wörter genauso aus wie deine Freunde? Hör genau hin, wenn ihr euch das nächste Mal unterhaltet!

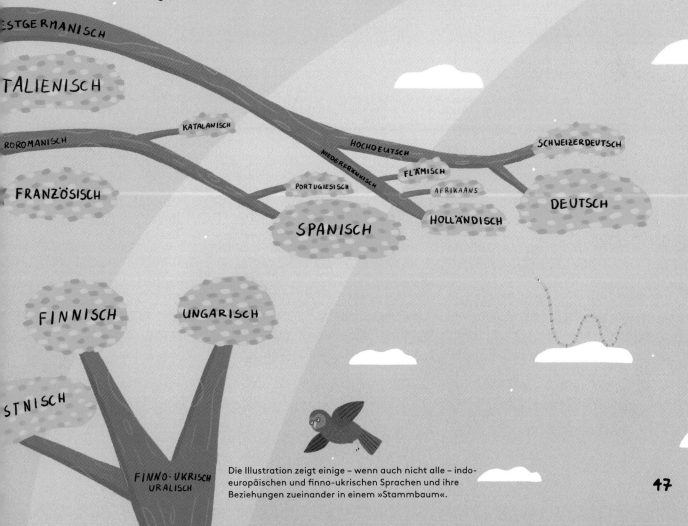

ENGLISCH

FRIESISCH

ESTGERMANISCH

TALIENISCH

ROROMANISCH

KATALANISCH

HOCHDEUTSCH

SCHWEIZERDEUTSCH

NIEDERFRÄNKISCH

FLÄMISCH

PORTUGIESISCH

AFRIKAANS

DEUTSCH

FRANZÖSISCH

SPANISCH

HOLLÄNDISCH

FINNISCH

UNGARISCH

STNISCH

FINNO-UKRISCH
URALISCH

Die Illustration zeigt einige – wenn auch nicht alle – indo-europäischen und finno-ukrischen Sprachen und ihre Beziehungen zueinander in einem »Stammbaum«.

# Eine Welt voller Wörter

**Deine »Muttersprache« ist die,** in der du als Kind sprechen gelernt hast. Mandarin-Chinesisch, das heute von über 1,1 Milliarden Menschen gesprochen wird, ist die weltweit vorherrschende Muttersprache. Englisch – mit über 1,3 Milliarden Sprecherinnen und Sprechern – ist die am weitesten verbreitete Sprache, wenn man die Menschen mitzählt, die es als Zweitsprache verwenden. Manche Menschen beherrschen viele Sprachen, wie die antike *Königin Kleopatra* (regierte von 51–30 v. Chr.), die neun Sprachen gesprochen haben soll.

So unterschiedlich Sprachen auch sein mögen, es gibt Dinge, die sie alle gemeinsam haben. Jede Sprache hat ihre eigenen Regeln oder »Grammatik«, die erklären, wie die Wörter verwendet werden sollten. Einer der ersten bekannten Sprachwissenschaftler, der indische Schriftsteller *Panini*, schrieb ein Buch über Sanskrit, in dem er dessen Wörter und Sätze genau erläuterte.

Dein Name ist etwas, das zu dir gehört, egal welche Sprache du sprichst. Heutzutage haben die meisten Menschen einen Vornamen und einen Familiennamen (oft Nachname genannt), der über Generationen hinweg weitergegeben wird. Nachnamen beschrieben oft Berufe – wie im Deutschen Koch. Sie sagten etwas über den Ort, aus dem eine Person stammte, wie der japanische Name Yamamoto (»am Fuße des Berges«). Oder sie beschrieben das Aussehen oder die Persönlichkeit – Buhle (»schön«) in Xhosa, Singh (»Löwe«) in Hindi.

Namen, die »Sohn von« bedeuten, waren ebenfalls sehr beliebt. Im Spanischen ist Rodriguez der »Sohn von Rodrigo«, im Russischen ist Dimitrow der »Sohn von Dimitri«. Familien in Ländern wie Island oder Malaysia haben keine gemeinsamen Nachnamen – ihre Namen funktionieren anders. Nehmen wir an, der isländische Vater heißt Olaf; sein Sohn könnte Magnus Olafsson heißen (was »Olafs Sohn« bedeutet) und seine Tochter Helga Olafsdóttir (also »Olafs Tochter«). Der Sohn von Magnus, Jón, hieße dann Jón Magnusson (»Magnus' Sohn«) – und so weiter.

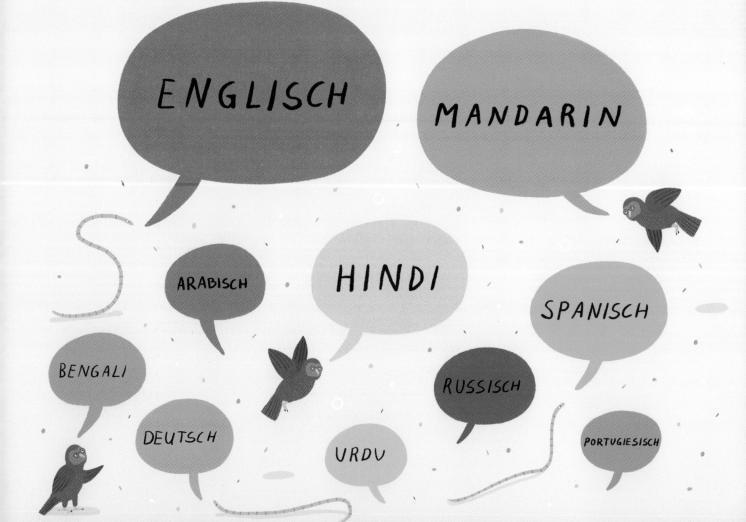

# Wörter sortieren

**Listen von Wörtern und ihrer Bedeutung** waren schon vor 4.000 Jahren auf Tontafeln zu finden. Später wurden Bücher zum Ordnen und Aufzeichnen von Sprache verwendet. Heute sind wir daran gewöhnt, dass Wörterbücher alphabetisch geordnet sind, aber das war nicht immer der Fall. Das *Eyra*, das um 200 v. Chr. in China entstand, enthielt Definitionen chinesischer Wörter und war nach Themen geordnet. Das erste arabische Wörterbuch *Kitab al-'Ayn*, das um 700 im heute irakischen Basra zusammengestellt wurde, ordnete die Wörter nach ihrer Aussprache.

Später enthielten Bücher wie das englische Wörterbuch von **Samuel Johnson** (1709–1784) aus dem Jahr 1755 Anmerkungen zur Geschichte der Wörter, mit Textbeispielen von Autoren wie **William Shakespeare** (1564–1616). In den USA veröffentlichte **Noah Webster** (1758–1843) im Jahr 1828 sein amerikanisches Wörterbuch mit einfacheren Schreibweisen englischer Wörter, zum Beispiel »color« statt »colour« und »center« statt »centre«. Diese Schreibweisen werden in den USA noch heute verwendet.

Ein Wörterbuch ist ideal, um neue Wörter kennen zu lernen. Hast du schon einmal mit Freunden das Wörterbuchspiel gespielt? Wähle ein ungewöhnliches Wort aus und schreibe ein paar erfundene Definitionen auf. Dann liest jemand, der das Wort noch nicht kennt, alle Definitionen vor, einschließlich der richtigen. Zum Schluss müssen alle raten, was es wirklich bedeutet – gar nicht so einfach!

CARL VON LINNÈ, Systema Naturae (Ordnungssystem), 1826

Außer Wörter in Wörterbüchern zu sortieren, benutzt die Wissenschaft auch Wörter, um Informationen und Wissen einzuordnen. Der schwedische Botaniker **Carl von Linné** (1707–1778) gab allen lebenden Tieren und Pflanzen lateinische Namen, unter denen man sie noch heute kennt – einen für die Gattung und einen für die Art. Der Tiger zum Beispiel heißt *Panthera tigris*, der Löwe hingegen *Panthera leo*. Das gemeinsame Wort *Panthera* zeigt, dass beide zur Familie der Großkatzen gehören. Heutzutage erfinden wir Wörter für neue Entdeckungen (Sterne, Medikamente) oder für Dinge, die uns beunruhigen (Wirbelstürme, Krankheiten). Wörter helfen uns, die Welt zu verstehen!

ICH BIN EIN BASILISK!

# Die Botschaft verstehen

**Sprachen funktionieren auf unterschiedliche Weise,**
und nicht immer gibt es eine exakte Übersetzung. Manchmal gibt es
die Wörter einfach nicht! Die russische Sprache kennt zum Beispiel
ein eigenes Wort für hellblau und eins für dunkelblau, während zum
Beispiel im Koreanischen dasselbe Wort für blau und grün verwendet
wird. Sehen Menschen aus Russland oder Korea Farben vielleicht
unterschiedlich? Einige Forschende glauben, dass es so ist.

Übersetzer müssen nach den richtigen Wörtern suchen. Die Harry-
Potter-Bücher wurden in 80 Sprachen übersetzt, und in jeder
musste dafür gesorgt werden, dass alles noch einen Sinn ergibt.
In der französischen Ausgabe heißt Hogwarts »Poudlard«, was
»Speckläuse« bedeutet; in der hebräischen Version singt Sirius Black
ein Chanukka-Lied statt eines Weihnachtsliedes; und in Hindi sind die
Zaubersprüche in altem Sanskrit statt in Latein geschrieben.

Es gibt den bekannten Ausdruck »lost in translation«, der bedeutet, dass der Sinn des ursprünglichen Wortes oder Satzes irgendwo bei der Übersetzung verändert wurde, oft aufgrund eines Missverständnisses. Als der italienische Astronom *Giovanni Schiaparelli* (1835–1910) im Jahr 1877 durch ein Fernrohr auf die Mars-Oberfläche schaute, beschrieb er Meere, Kontinente und dunkle Linien, die er als Kanäle (italienisch »canali«) bezeichnete, als von Menschen gebaute Wasserstraßen, wie man sie in Venedig oder Amsterdam findet. Die Menschen waren völlig aus dem Häuschen, dass es auf dem Mars Kanäle geben sollte. Stammten sie von Außerirdischen? Gab es doch Leben auf dem Mars?

Manchmal sind Wörter in neuen Sprachen sehr schwer zu erklären. Im Finnischen bezeichnete das alte Maß »poronkusema« die Entfernung, die ein Rentier zurücklegen kann, bevor es eine Toilettenpause braucht (etwa 7,5 km). Je mehr wir jedoch mit anderen Menschen kommunizieren, desto mehr Wörter teilen wir. Wörter wie »Pizza« und »Sushi« werden überall auf der Welt verwendet – eine Übersetzung ist oft überhaupt nicht mehr nötig.

PIZZA!

SUSHI!

53

# 5

# MÄCHTIGE WÖRTER
## Wie Wörter unser Handeln beeinflussen

Ich bin Ashoka. Ich war Herrscher der indischen Maurya-Dynastie vor über 2.000 Jahren. Ich ließ im ganzen Reich Steinsäulen mit eingemeißelten Texten aufstellen. Sie gaben den Menschen Anweisungen, wie sie ihr Leben leben sollten.

STOP GLOBAL WARMING

Ich bin Martin Luther King Jr. Meine Rede, die ich 1963 in Washington D.C. gehalten habe, war ein großer Schritt in die Richtung, dass Menschen jeder Hautfarbe vor dem Gesetz gleich wurden.

SKOLSTREJK FÖR KLIMATET

Ich bin Greta Thunberg. Ich wurde berühmt, als ich 2018 vor dem schwedischen Parlament ein Schild mit der Aufschrift »Schulstreik für das Klima« hochhielt. Seitdem habe ich die Menschen immer wieder aufgefordert und ermutigt, unseren Planeten zu schützen.

WURM FÜR FRIEDEN

# Wie aus einer anderen Welt

**Für viele unserer antiken Vorfahren** waren Wörter eine Möglichkeit, mit anderen Welten außerhalb der des Menschen zu kommunizieren. Die Menschen versammelten sich, um gemeinsame Gebete zu sprechen oder Lieder zu singen, die sie mit ihren Göttern und Ahnen verbinden sollten. Zeremonien wie der Kapa Haka der Maori in Aotearoa (Neuseeland) werden über Generationen hinweg weitergegeben. Kapa-Haka-Liedtexte werden gesungen, um die Toten zu ehren, die Sprache und die Bräuche lebendig zu halten und die Traditionen von einer Generation an die nächste weiterzugeben.

Wörter wurden auch zu Anleitungen für ein gutes Leben. Einige der ersten geschriebenen Worte waren die heiligen Texte der Weltreligionen – die christliche *Bibel*, der muslimische *Koran*, die jüdische *Thora* und die hinduistischen *Veden*. Im Alten Testament wird erzählt, dass Moses zwei Steintafeln vom Berg Sinai herunterbrachte, auf denen zehn Regeln oder »Gebote« eingemeißelt waren. Sie sagten dem hebräischen Volk, wie es leben sollte. Muslime befolgen einen Kodex, der als die »Säulen des Islam« bekannt ist. Fünfmal am Tag, zwischen Sonnenaufgang und Mitternacht, wird ein Gebet, das »Salat«, verrichtet. Auch in anderen Religionen und Philosophien haben Wörter eine große Macht. Hindus und Buddhisten rezitieren beim Meditieren Wörter oder Sätze, sogenannte »Mantras«.

## Magische Wörter

Dem »Abrakadabra« werden magische Kräfte zugeschrieben. Diese Zeichnung stammt aus dem Buch *Liber Medicinalis* (»Buch der Medizin«) des römischen Arztes Serenus Sammonicus (verstarb im Jahr 212) aus dem 2. Jahrhundert. Das Wort wurde in Form eines Dreiecks dargestellt, wobei am Ende jeder Zeile ein Buchstabe wegfiel. Es wurde als Talisman um den Hals getragen – als ein Schutzzauber, der Krankheiten heilen sollte. Man glaubte, dass mit dem Verschwinden der Buchstaben auch die Krankheit verschwand.

Kennst du andere Zauberwörter?
Sie können ruhig auch sehr alt sein!

ABRAKADABRA!

**I HAVE A DREAM.**

## Wörter als Inspiration

**Welche Wörter haben dich inspiriert?** Von Kampfrufen, die Tausende Jahre alt sind, bis zu berühmten Zitaten geben uns Wörter etwas, woran wir glauben können. 1963 hielt *Martin Luther King Jr.* (1929–1968) in Washington, USA, eine Rede, die vor allem durch ihre ersten Worte bekannt ist: »I have a dream« – ich habe einen Traum. Kings Traum, dass Menschen nur anhand ihrer Handlungen und nicht nach ihrer Hautfarbe beurteilt werden, beschäftigt uns bis heute! Manche Menschen werden auch durch ihre Worte berühmt. *Neil Armstrong* (1930–2012), der erste Mensch, der den Mond betrat, sagte, als er 1969 aus der Mondfähre stieg: »Ein kleiner Schritt für einen Menschen, aber ein riesiger Sprung für die Menschheit.« Man schätzt, dass 600 Millionen Menschen auf der ganzen Welt gespannt diesen berühmten Worten lauschten, die fast 400.000 Kilometer entfernt im Weltraum gesprochen wurden.

*EIN KLEINER SCHRITT FÜR DEN MENSCHEN, EIN RIESIGER SPRUNG FÜR DIE MENSCHHEIT.*

Wenn man die Unterstützung der Menschen braucht, ist es wichtig, die richtigen Worte zu wählen. In Großbritannien setzten sich die Suffragetten dafür ein, dass Frauen das Wahlrecht erhalten. Ihr Slogan »Votes for Women!« erschien ab 1903 auf Abzeichen, Schärpen, Fahnen und Bannern. (1918 bekamen sie es schließlich.) Das ganze 20. Jahrhundert hindurch wurden weltweit bei Protesten Transparente hochgehalten, von »Wir sind ein Volk!« an der Berliner Mauer (1989) bis hin zu »Ash-shab yurid isqat an-nizam« (»Das Volk will das Regime stürzen«) bei den als Arabischer Frühling bekannten Protesten um das Jahr 2011. Das handgeschriebene Schild von *Greta Thunberg* (*2003) »Skolstrejk för Klimatet« (»Schulstreik fürs Klima«), das sie 2018 vor dem Schwedischen Parlament hochhielt, löste eine weltweite Jugendbewegung fürs Klima aus.

Die Erfindung der sozialen Medien bedeutet, dass Worte heute genutzt werden können, um alle Menschen auf der Welt miteinander zu verbinden. Durch die Verwendung desselben Hashtags (die gibt es seit 2013) können sich Anhänger von Bewegungen wie »Black Lives Matter«, die in den USA entstanden ist, miteinander verbinden – sie müssen nicht am selben Ort protestieren, um sich als Teil einer globalen Bewegung zu fühlen. Die sozialen Medien bieten ihnen eine Plattform, auf der sie sich Gehör verschaffen können.

# Das Wort im Gesetz

**Würdest du mit deinen Freunden etwas aufschreiben,** dem ihr alle zustimmt, und ihr würdet das unterschreiben, dann wäre das Dokument ein Vertrag. Regierungen formulieren aus Wörtern Gesetze. Dabei handelt es sich um Regeln, die erklären, was man tun darf und was nicht. Sie werden angewendet, um Streitigkeiten zu schlichten oder mit strafbarem Verhalten umzugehen.

Das war schon in der Antike so. In Mesopotamien wurde eine Reihe von Gesetzen, bekannt als der Kodex von Ur-Nammu (ca. 2100 v. Chr.), auf Tontafeln geschrieben. In Indien wurden die Texte des Herrschers *Ashoka* (regierte ca. 268–232 v. Chr.) – mit Anweisungen, wie ein guter Buddhist leben sollte – in große Steinsäulen gehauen. Heute sagen wir immer noch, etwas ist »in Stein gemeißelt«, was nichts anderes heißt, als dass es gilt und nicht einfach geändert werden kann.

Eide sind speziell formulierte Versprechen, die im Beisein von anderen abgelegt werden. Man legt einen Eid ab, wenn man zur Königin oder zum Präsidenten ernannt wird, wenn man vor Gericht als Zeugin oder Zeuge auftritt, wenn man heiratet oder wenn man Bürger eines Landes wird. Ärztinnen und Ärzte legen den Hippokratischen Eid ab, der auf den griechischen Arzt *Hippokrates* (410 v. Chr.) zurückgeht. Sie schwören damit, ihre Patienten nach bestem Wissen und Gewissen zu behandeln. Auch Zauberer, die Mitglieder des Magischen Zirkels sind, müssen einen feierlichen Schwur ablegen, die Tricks, die sie gelernt haben, niemals preiszugeben.

Farblithografie eines Zauberers, ca. 1870–80.

In vielen Ländern enthalten Banknoten auch ein schriftliches Versprechen – das Versprechen der Bank, die Papiernote gegen die darauf beschriebene Geldsumme einzutauschen. Geldscheine wurden erstmals in der chinesischen Ming-Dynastie zwischen 1375 und 1425 verwendet (als alle anderen Menschen noch mit Münzen bezahlten). Sie waren größer als die heutigen Banknoten, wurden auf Papier aus Maulbeerbaumrinde gedruckt und waren mit einer Warnung versehen: »Fälschen bedeutet den Tod!«

Piccadilly Circus, London, Postkarte, ca. 1955.

## Das Wort auf der Straße

**Wenn du das nächste Mal in einer Stadt unterwegs bist,**
wird dir auffallen, dass überall Wörter zu sehen sind. Seit es Schrift
gibt, werden Wände mit Wörtern und Buchstaben versehen. Auf den
Mauern der Gebäude von Pompeji, der antiken römischen Stadt, die
beim Ausbruch des Vesuvs im Jahr 79 n. Chr. unter Asche begraben (und
dadurch konserviert) wurde, ist noch immer gemalter Text zu sehen.
Jahrhunderte später, nach der Erfindung des Buchdrucks, wurden neben
den gemalten Schildern massenweise Plakate geklebt, und unsere
Straßen konnten noch schneller »beschrieben« werden.

Wenn du heute eine Straße in Lagos, London oder Las Vegas entlang-
gehst, wirst du Hunderte von Wörtern sehen, die dich anstarren – Weg-
weiser, Werbung, Ladenschilder oder Hinweise. Riesige Werbetafeln
wurden in den USA ab den 1830er Jahren populär; sie wurden auf den
Dächern von Gebäuden und am Straßenrand angebracht. Die Erfindung
der Elektrizität brachte größere, hellere und beleuchtete Schilder hervor,
die aus noch größerer Entfernung gelesen werden konnten. Als Anfang
des 20. Jahrhunderts Autos aufkamen, tauchten überall Schilder auf, die
die neuen Straßen und Autobahnen säumten.

Plakate und Schilder waren eine gute Möglichkeit, um für Produkte zu
werben – und damit war der Werbeslogan geboren. Werbesprüche vermitteln in einem einfachen Satz die Idee hinter einem Produkt oder einer
Marke, wie zum Beispiel »Just Do It!« von Nike oder »Ich liebe es!« von
McDonald's. Internationale Unternehmen wissen, wie wichtig solche Slo-
gans sind, um eine Botschaft zu vermitteln. Wenn wir uns an den Spruch
erinnern können und er uns freut oder inspiriert, werden wir wahrscheinlich auch das Produkt (ein Paar Schuhe, einen Burger) mit diesem Gefühl
verbinden. Und das alles dank der Macht der Wörter!

DO DO
DODOO
DOOOOOO...

# BURGER
# TIME!

ES
ES
ES

## Wörter als Bilder

**Heute nutzen Künstler aus der ganzen Welt** die Straße als Leinwand, sie hinterlassen ihre Tags, ihre Zeichen, als Wörter und Bilder. Graffiti kommt von »graffiare«, italienisch für »kratzen«, und die ersten Formen des Tagging waren Symbole und frühe Buchstaben, die in unterirdische Steinhöhlen geritzt wurden – schon vor 30.000 Jahren. Graffiti-Tagging war in den 1970er Jahren in New York eine große Modeerscheinung, wo Künstler und Künstlerinnen wie *Lady Pink* (\*1964) ihre Namen an viele heruntergekommene Bauwerke, Mauern und Bahnwagen sprühten, um zu zeigen, dass sie »da« waren. *Jean-Michel Basquiat* (1960–1988) begann als Graffiti-Künstler, baute jedoch schnell Wörter, Kratzer und Kritzeleien in seine Bilder ein.

Maler des 20. Jahrhunderts waren von Wörtern fasziniert. *Pablo Picasso* (1881–1973) und *Georges Braque* (1882–1963) klebten Zeitungsausschnitte auf ihre Gemälde von 1912, und kurz darauf integrierten Kunstschaffende wie *Hannah Höch* (1889–1978) Textschnipsel aus Zeitschriften und in ihre Fotocollagen. Mit der Verwendung von Wörtern zeigten die Künstlerinnen und Künstler, dass ihre Kunst mit dem täglichen Leben verbunden war – anstelle von Bildern aus der Fantasie enthielten ihre Werke reale Dinge aus der realen Welt.

ED RUSCHA, *OOF*, 1962

Seit den 1960er Jahren schuf der amerikanische Maler **Ed Ruscha** (*1937) Gemälde mit Wörtern, dabei geht es immer wieder um die Macht des Wortes an sich. Ruscha begann als Schildermaler, noch während er die Kunstschule in Los Angeles besuchte. Werke wie *OOF* (1962, im Bild) zeigen, wie sehr er sowohl die Form als auch den Klang von Wörtern genießt. Wörter sind ein echter Hingucker – wir können nicht anders, als sie anzuschauen!

KEIN MÜLL

# 6

# GEHEIME WÖRTER
## Die Wortbedeutung verschlüsseln oder enträtseln

Ich bin Jean-François Champollion. Im Jahr 1822 gelang es mir, die ägyptischen Hieroglyphen auf dem legendären Rosette-Stein zu entziffern. Meine Arbeit ebnete den Weg für ein besseres Verständnis dieser alten Sprache.

DER HERR DER RINGE
Ich bin J. R. R. Tolkien. Ich habe schon als Teenager angefangen, Sprachen zu erfinden. In meinen »Herr der Ringe«-Büchern habe ich meine eigene Sprache geschrieben, Elbisch. Um sie zu erfinden, habe ich viele Sprachen der Welt studiert, vor allem Finnisch.
Ich bin der Mathematiker Alan Turing. Ich habe eine Maschine zum Knacken von Codes erfunden, um im Zweiten Weltkrieg gesendete geheime Nachrichten zu entschlüsseln. Diese Arbeit war wichtig für die Entwicklung des Computers.
Ich bin Jean Valentine. Ich war eine der ersten Benutzerinnen seiner Maschine. Ich habe geholfen, die verschlüsselten Nachrichten zu decodieren.

# Entschlüsseln!

## Hast du schon einmal einen Code geknackt?

Vieles von dem, was wir über die Vergangenheit wissen, verdanken wir den Fähigkeiten von Codeknackern. Im Jahr 1799 wurde im ägyptischen Rosette ein 4.000 Jahre alter Felsbrocken entdeckt, der als Rosette-Stein bekannt ist. Er enthielt einen Text (über König Ptolemäus V.), der dreimal in verschiedenen Schriften geschrieben war: ägyptische Hieroglyphen, ägyptische Schrift und Altgriechisch. Der Code wurde 1822 von dem französischen Sprachwissenschaftler **Jean-François Champollion** (1790–1832) geknackt. Zum ersten Mal war es möglich, ägyptische Hieroglyphen zu entziffern.

Codes können sowohl zum Verschlüsseln als auch zum Entschlüsseln von Wörtern verwendet werden. Wenn du eine geheime Nachricht übermitteln musst, kannst du viele Arten von Codes verwenden. Der Morse-Code besteht aus Punkten, Strichen und Leerzeichen, die die Buchstaben A bis Z des Alphabets ersetzen. Er wurde 1838 zur gleichen Zeit wie der elektrische Telegraf erfunden, eine der ersten Maschinen, die Töne über große Entfernungen übertragen konnten. Wenn der Empfänger den Code kannte, konnte er die Nachrichten verstehen, die durch kurze Töne (für Punkte) und längere Töne (für Striche) übermittelt wurden.

Auf See konnten Morse-Nachrichten auch mit Lichtzeichen übermittelt werden – kurze Lichtsignale für Punkte und lange Lichtsignale für Striche. Wie bei vielen Codes handelt es sich beim Morsen um einen einfachen Tausch – ein Buchstabe gegen ein Symbol. Andere Codes (die du selbst ausprobieren kannst) bestehen aus Zahlen oder Symbolen, die Wörter und Buchstaben darstellen. Auf Seite 93 findest du eine Idee!

Im Krieg war das Erfinden (und Knacken) von Codes eine wichtige Aufgabe, und mit der Erfindung von Maschinen wurden die Codes immer komplizierter. Während des Zweiten Weltkriegs erfand und programmierte ein Team im britischen Bletchley Park leistungsstarke Maschinen zum Knacken von Codes, darunter eine riesige Maschine namens »Bombe«. Sie wurde von *Alan Turing* (1912–1954) erfunden und von den Mitarbeiterinnen des Women's Royal Naval Service bedient, unter ihnen auch *Jean Valentine* (1924–2019). Damit entschlüsselten sie Tausende von Nachrichten mit geheimen feindlichen Plänen.

# Wortspiele

## Wortspiele sind so alt wie die Wörter selbst!

Die Römer schufen ein Wortgitter, das als »Sator-Quadrat« bekannt ist – ein Raster mit 5 x 5 Buchstaben, das fünf Wörter enthält, die nach oben, unten, vorwärts und rückwärts gelesen werden können. Es wurde auf antiken Gebäuden gefunden, vom frühesten Beispiel in Pompeji bis hin nach Syrien und Schweden. Obwohl die fünf lateinischen Wörter klar zu lesen sind, rätseln Gelehrte seit Jahrhunderten über ihre genaue Bedeutung und haben viele verschiedene Interpretationen vorgeschlagen, von christlichen Gebeten bis zu magischen Zaubersprüchen.

Rätsel, aber auch andere knifflige Fragen, die durchaus Kopfzerbrechen bereiten, lassen sich bis in die Antike zurückverfolgen. Hier ist die gekürzte Version eines Rätsels, das in Keilschrift auf einer 4.000 Jahre alten Tafel geschrieben wurde:

**Es ist ein Haus. Man geht blind hinein und kommt sehend heraus. Was ist es?**

Die griechische Legende erzählt auch von dem Reisenden Ödipus, der versuchte, das Rätsel der Sphinx zu lösen, jenes Fabelwesens mit dem Kopf eines Menschen und dem Körper eines Löwen, das das Tor der antiken Stadt Theben bewacht haben soll:

**Welches Lebewesen hat eine Stimme, aber vier Beine am Morgen, zwei Beine am Nachmittag und drei Beine am Abend?**

Im 20. Jahrhundert wurden Wortspiele immer beliebter, da es immer mehr gedruckte Bücher, Zeitschriften und Zeitungen gab. Das Kreuzworträtsel, erstmals 1913 von *Arthur Wynne* (1871–1945) für die Sonntagsbeilage einer Zeitschrift aus New York entwickelt, sorgte weltweit fast für so etwas wie einen Rausch. Das Spiel Scrabble, erfunden 1933 in den USA von dem Architekten *Alfred Butts* (1899–1993), wird auch heute noch auf der ganzen Welt gespielt. Falls auch du eins besitzt, versuche, deine eigene Version des Sator-Quadrats zu finden.

Wenn du gut beobachten kannst, gelingt es dir vielleicht, Wörter zu entschlüsseln, indem du sie genau betrachtest. Kannst du (mit deinen Freunden!) dieses Anagramm lösen? Es ist ein Rätsel, bei dem die Buchstaben neu angeordnet werden müssen:

## AKRIBISCH NEUE SCHULDEN

Die Antworten findest du auf Seite 93.
Du könntest auch selbst Worträtsel erfinden.

# Erfundene Sprachen

Wir haben über Codes, verschlüsselte und entschlüsselte Wörter nachgedacht – aber Wortspiele können auch bedeuten, eine völlig neue Sprache zu erfinden. Manchmal können diese Schöpfungen sehr persönlich und nicht für fremde Augen bestimmt sein. Im 12. Jahrhundert erfand die Musikerin und Dichterin **Hildegard von Bingen** (1098–1179) eine Geheimsprache, die nur sie verstehen konnte.

Hildegard von Bingen an ihrem Schreibpult, Detail einer Miniatur

Studien haben gezeigt, dass Zwillinge manchmal ungewöhnliche Wege der Kommunikation entwickeln – eine erfundene Sprache zwischen Zwillingen ist als »Kryptophasie« bekannt (von »krypto« für »geheim« und »phasia« für »Sprache«).

Manche Sprachen wurden auch einzig für Geschichten erfunden, wie die Sprache der Elben aus *J. R. R. Tolkiens* Herr der Ringe (1954) oder Klingonisch, das vom Volk der Klingonen in der Science-Fiction-Serie *Star Trek* gesprochen wird. Diese Sprache wurde von dem Linguisten *Marc Okrand* (*1948) erfunden, und man kann sie heute sogar in der App Duolingo lernen! Eine Sprache zu schaffen ist eine große Herausforderung für jemanden, der Regeln, Poesie und Mathematik mag. Der Schriftsteller, Dichter und Mathematiker *Daniel Tammet* (*1979) schuf eine solche Sprache namens »Mänti«.

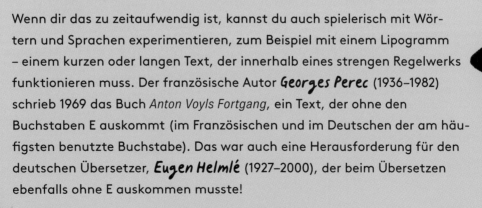

Wenn dir das zu zeitaufwendig ist, kannst du auch spielerisch mit Wörtern und Sprachen experimentieren, zum Beispiel mit einem Lipogramm – einem kurzen oder langen Text, der innerhalb eines strengen Regelwerks funktionieren muss. Der französische Autor *Georges Perec* (1936–1982) schrieb 1969 das Buch *Anton Voyls Fortgang*, ein Text, der ohne den Buchstaben E auskommt (im Französischen und im Deutschen der am häufigsten benutzte Buchstabe). Das war auch eine Herausforderung für den deutschen Übersetzer, *Eugen Helmlé* (1927–2000), der beim Übersetzen ebenfalls ohne E auskommen musste!

# POETISCHE WÖRTER
## Wie setzt man Wörter zu Rhythmen oder Reimen zusammen?

Ich bin Matsuo Basho. Meine Haiku-Gedichte, die ich im 17. Jahrhundert schrieb, machten mich zu einem der beliebtesten Schriftsteller Japans.

Ich bin die amerikanische Dichterin Emily Dickinson. Ich schrieb meine Gedichte in den 1850er und 1860er Jahren in kleine, selbstgemachte Heftchen, die ich nur meinen engen Freundinnen und Freunden zeigte.

Ich bin Lin-Manuel Miranda und schreibe Theaterstücke, Lyrics und Songs. Ich habe angefangen, mir Reime auszudenken und spontan zu rappen. Ich bin berühmt dafür, dass ich Broadway-Musicals wie »Hamilton« kreiert habe und die Hauptrolle darin spiele.

# Gedichte schreiben

Die Dichterin **Emily Dickinson** (1830–1886) schrieb einmal: »Ich kenne nichts auf der Welt, das so viel Kraft hat wie ein Wort. Manchmal schreibe ich eines auf und schaue es an, bis es zu leben beginnt.« Mit ihren eigenen kraftvollen Worten verfasste sie fast 1.800 Gedichte, häufig über die Natur. Sie verließ ihr Haus in Amherst, Massachusetts, nur selten, aber ihre Gedichte zeigen, dass ihr Leben sehr reich und voller Bedeutung war. Noch heute – rund 150 Jahre später – werden ihre Worte und Ideen für uns lebendig, wenn wir ein Gedicht von ihr lesen.

**Sind Wörter nicht fantastisch?** Ein Gedicht ist ein Beispiel für einen Text, bei dem jedes einzelne Wort wichtig ist. Man möchte nicht *ein* Wort gegen ein anderes austauschen – denn jedes einzelne spielt eine wichtige Rolle, wie bei einem Turm von Akrobaten, die balancieren. Ein einziges Wort zu ändern, könnte das ganze Gedicht verändern.

Beim Lesen eines Gedichts kommen einem oft viele Dinge auf einmal in den Sinn; sie regen unseren Verstand an. Nimm ein Wort daraus, zum Beispiel »Winter«. Was fällt dir dabei ein, ohne dass du groß nachdenken musst? Vielleicht denkst du an Bäume ohne Blätter, an frostige Morgenstunden oder knirschenden Schnee. Genau das macht dein Gehirn, wenn du ein Wort in einem Gedicht siehst. All deine »Winter«-Gedanken beginnen zu schwirren, während du herausfindest, was das Gedicht für dich bedeutet.

Siegel-Inschrift aus der Akkadischen Periode, Irak, ca. 2254–2193 v. Chr.

Wir wissen, dass auch unsere Vorfahren Gedichte schrieben – auf Seite 24 hast du von den Gedichten der Akkadischen Prinzessin *Enheduanna* gelesen, die vor 4.000 Jahren in die Wände des Tempels von Ur geritzt worden waren. Zu jener Zeit konnten nur Herrscher, Gelehrte oder Priester lesen. Aber jede, jeder konnte Gedichte, Gebete und Lieder auswendig lernen. Wenn du schon einmal versucht hast, dir ein Gedicht zu merken, ist dir wahrscheinlich aufgefallen, dass Rhythmen oder Reime (und in Liedern Melodien) das Einprägen von Gedichtzeilen wesentlich erleichtern. Die Heldengeschichten von Homer reimten sich zwar nicht – aber sie folgten einem strengen Metrum – in der Poesie ist das der Rhythmus, in dem die Worte gesprochen werden.

# Wortmuster

Bei der Betrachtung eines Gedichts sind vor allem zwei Dinge wichtig: zum einen der Inhalt (worum es in dem Gedicht geht) und zum anderen die Form (der Klang der vom Dichter gewählten Wörter, der Rhythmus und die Reimform). Beim Schreiben kann es hilfreich sein, eine Reihe von Regeln zu befolgen, um dem Gedicht eine Form zu geben.

Ein Limerick ist ein Gedicht mit einem sehr vorhersehbaren Reimschema. Zum Beispiel dieser Limerick von dem englischen Dichter **Edward Lear** (1812–1888):

Es war mal ein Alter mit Bart
Besorgt, was an Vögeln sich paart
An Lerchen, Pirolen
An Eulen und Dohlen:
»Sie alle tun's in meinem Bart!«

EDWARD LEAR, *Es war mal ein Alter mit Bart ...*, 1846

Wenn du die Wörter durch einfache Silben ersetzt und dazu klatschst, kannst du den Rhythmus noch deutlicher hören:

De da-da de da-da de dur // De da-da de da-da de dur
De da da da dah // De da da da dah
De da-da de da-da de dur

Nehmen wir ein ganz anderes Beispiel. Ein Haiku ist ein Gedicht, das aus drei separaten, aber miteinander verbundenen Teilen besteht. Im japanischen Original bestehen Haikus aus insgesamt 17 Silben (5 im ersten Teil, dann 7, dann 5). Eine Silbe ist ein Laut (das Wort »anstrengend« hat drei Silben: an-stren-gend). Haikus des japanischen Dichters **Matsuo Basho** (1644–1694), wie dieses aus dem Jahr 1686, wurden oft von der Natur und seinen Reisen aufs Land inspiriert:

ein alter Teich / ein Frosch springt hinein / die Spritzer des Wassers
*furu ike ya / kawazu tobikomu / mizu no oto*
古池や蛙飛び込む水の音
ふるいけやかわずとびこむみずのおと

PLOPP

Gedichte müssen jedoch nicht irgendwelchen Regeln folgen! Aber Dichterinnen und Dichter achten immer besonders auf den Klang der Wörter. Wenn du ein Gedicht laut liest, achte auf Alliterationen (Wörter, die mit demselben Buchstaben oder Klang beginnen: zum Beispiel »wallende und wogende Wälder«). Vielleicht entdeckst du auch Beispiele für Onomatopoesie, ein wunderbares Wort! Es bedeutet, dass das betreffende Wort so klingt wie die Sache, die es beschreibt (Plopp! Miau! Buzz!).

# Das gesprochene Wort

Wenn du die Wörter, die du auf einer Seite siehst, wirklich genießen willst – lies sie laut. Früher wurden Gedichte oft gesungen und von Musikern begleitet. Heute tragen Rapper und Spoken-Word-Poeten ihre Reime zu einem Beat oder einem Backing-Track vor.

Rap wurde in den späten 1970er Jahren in New York populär. In einem Rap-Stück reimen die MCs (was für »Master of Ceremonies« oder »microphone controller« steht) auf die Musik. Freestyle-Rap bedeutet, dass man improvisiert oder sich Reime spontan ausdenkt – man weiß im Voraus also nicht genau, was man sagen wird. **Lin-Manuel Miranda** (*1980), Autor des Bühnenmusicals *Hamilton* (2015), begann als Rap-Improvisator und setzte diese frühen Ideen in Songs um, die Geschichten erzählen. 2009 trug Miranda bei einer Veranstaltung im Weißen Haus (im Beisein des damaligen Präsidenten Barack Obama und seiner Gattin Michelle) einen Rap über den amerikanischen Politiker Alexander Hamilton aus dem 18. Jahrhundert vor. Daraus entstand *Hamilton*, ein Musical, das komplett in Reimen gehalten ist.

ALEXANDER HAMILTON!

DIE OBAMAS!

»Rap Battles« oder »Poetry Slams« sind beliebte Wettkämpfe, bei denen Rapper und Dichter gegeneinander antreten. *Prince of Poets*, eine auf Abu Dhabi TV ausgestrahlte Show, ist ein solcher Dichterwettstreit. Die Sendung wurde benannt nach dem ägyptischen Dichter *Ahmed Shawqi* (1868–1932), der zu seiner Zeit als »prince of poets« bekannt war.

Denk dir spontan ein Gedicht oder einen Rap aus! Frag einen Freund oder eine Freundin nach einem Thema. Zuerst müsst ihr euch einen Moment Zeit nehmen, um eure Gedanken zu sammeln und den Text vorzubereiten, den ihr rappen wollt. Du könntest zu einem Beat vortragen, der dir hilft, in Bewegung zu bleiben und deinen Worten eine Struktur zu geben, während sie aus dir herausfließen. Freestyle-Rapper, die an Wettbewerben teilnehmen, planen oft einige Reime oder Wortmuster auf Vorrat. Du könntest eine Liste mit deinen Lieblingsreimen erstellen, für den Fall, dass du welche davon verwenden musst!

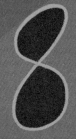

# DAS LETZTE WORT
## Wo liegt die Zukunft der Wörter?

Ich bin der britische Wissenschaftler Stephen Hawking. Meine Entdeckungen über schwarze Löcher haben das Denken über den Weltraum verändert. 1985 verlor ich durch eine Krankheit meine Stimme, konnte aber mithilfe eines Computerprogramms, das an eine digitale Sprachbox angeschlossen war, weiter sprechen.

Ich bin die amerikanische Lehrerin Marie Wilcox, die letzte Muttersprachlerin der indigenen Wukchumni-Sprache. Ich habe meine Sprache vor dem Aussterben bewahrt, indem ich sie anderen Menschen beigebracht und ein Wörterbuch geschrieben habe.
Ich bin O'Plérou Grebet, ein ivorischer Designer. Ich habe Hunderte von kostenlosen Emojis entworfen, die die westafrikanische Kultur darstellen.

# Sprachen in Gefahr!

Sprachen werden von Menschen am Leben erhalten, die sie tagtäglich benutzen. Genau wie seltene Tiere in Wüsten oder Regenwäldern sind auch einige Sprachen gefährdet und vom Aussterben bedroht. Eine Sprache stirbt aus, wenn ihr letzter Sprecher stirbt, und man schätzt, dass ein Drittel der etwa 7.000 Sprachen der Welt weniger als 1.000 Sprecherinnen und Sprecher hat.

Woran mag das liegen? Heute sind wir mehr denn je mit Menschen auf der ganzen Welt verbunden. Und allgemein gängige Sprachen sind sehr nützlich zum Leben, Arbeiten und Lernen – daher werden die beliebtesten Sprachen von immer mehr Menschen gesprochen.

1887 erfand **L. L. Zamenhof** (1859–1917) aus Polen eine völlig neue Sprache namens Esperanto. Sie sollte einfachen Regeln folgen, damit man sie schnell lernen konnte. Zamenhof war der Meinung, dass die Menschen auf der ganzen Welt vereint werden könnten, wenn alle diese Sprache – zusätzlich zu ihrer Muttersprache – sprechen würden. Obwohl heute noch viele Menschen Esperanto sprechen, wurde es nicht so populär, wie er gehofft hatte!

*Marie Wilcox* (1933–2021), ein Mitglied des Wukchumni-Volkes in Kalifornien, war die letzte Muttersprachlerin des Wukchumni, als sie beschloss, die Sprache vor dem Aussterben zu bewahren. Sie unterrichtete die Sprache und arbeitete 20 Jahre lang an einem Wukchumni-Wörterbuch, wobei sie Computertechnologie und Tonaufnahmen zu Hilfe nahm.

Indigene Sprachen werden von den Menschen gesprochen, die vor der Kolonisierung in einem Land gelebt haben. Das Erlernen einer indigenen Sprache ist eine Möglichkeit, diese Menschen und die Geschichte des Landes zu würdigen. Der UNESCO-Atlas der gefährdeten Sprachen, der 1996 eingeführt wurde, erfasst, wo bestimmte Sprachen noch gesprochen werden. Auf seiner Website (siehe Seite 93) kannst du die seltenen Sprachen eines Landes nachschlagen und herausfinden, wie viele Menschen sie ungefähr noch sprechen. Hilfsorganisationen ermutigen Regierungen, diese alten Sprachen wiederzubeleben und aufzuzeichnen, damit sie nicht für immer verloren gehen. Auf der Osterinsel (Rapa Nui) beispielsweise, einer Insel im Pazifischen Ozean, lernen Schulkinder ihre Muttersprache Rapa Nui, damit sie weiterlebt.

Mit viel Mühe ist es möglich, Sprachen wieder zum Leben zu erwecken. Hebräisch wurde jahrhundertelang vom jüdischen Volk nur bei religiösen Zeremonien und in heiligen Schriften verwendet. Es wurde kaum gesprochen, bis es im 19. und 20. Jahrhundert wiederbelebt wurde. Sprachwissenschaftler »erfanden« neue Wörter hinzu, um sie an die moderne Zeit anzupassen. Hebräisch wird heute weltweit von etwa 9 Millionen Menschen gesprochen. Es gibt also immer Hoffnung für eine Sprache!

# WWW – Ein weltweites Netz

Ganz gleich, welche Sprache du sprichst – ob Portugiesisch, Polnisch oder Persisch –, jedes Jahr erscheinen neue Wörter und verschwinden alte. Die Welt verändert sich ständig, und die Wörter, die neue Trends, Erfindungen, Ideen oder Ausdrücke beschreiben, müssen sich mit ihr verändern. Möglicherweise verwendest du heute Wörter und Ausdrücke, die es letztes Jahr noch gar nicht gab. Und wer weiß, welche neuen Wörter du nächstes Jahr verwenden wirst!

Wie wir uns gegenseitig schreiben, ändert sich rasant. Das 1989 erfundene Internet diente zunächst dazu, Bibliotheken und Universitäten beim Informationsaustausch zu unterstützen. Schon bald verband es Menschen rund um den Globus, und heute ist bereits die Hälfte der Weltbevölkerung online. Die Technologie prägt die Wörter, die wir verwenden, und die Art und Weise, wie wir sie verwenden. Vom Telegramm – einer in den 1920er und 1930er Jahren beliebten Methode der Nachrichtenübermittlung, bei der die Menschen in kurzen Sätzen kommunizieren mussten (da sie nach Anzahl der Wörter bezahlt wurde) – bis zur Textnachricht (mit ihren beliebten Kürzeln wie LOL oder OMG) sind die Menschen daran gewöhnt, ihre Wörter in viele verschiedene Arten von Nachrichten zu pressen!

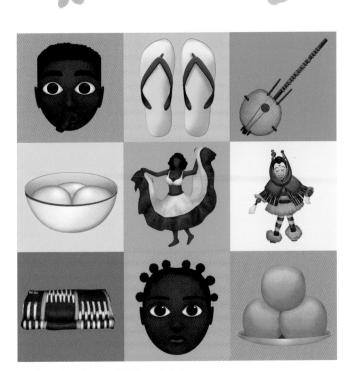

Emojis, entworfen von O'Plérou Grebet

Manchmal kommunizieren wir auch ohne Worte. Emojis werden seit ca. 1999 verwendet, entwickelt wurden die ersten von dem japanischen Designer *Shigetaka Kurita* (*1972). Emoji bedeutet auf Japanisch »Bildzeichen«. Sie können dem Empfänger oder der Empfängerin deiner Nachricht helfen, deine Worte zu verstehen! Wir verwenden oft Emojis, die unser tägliches Leben widerspiegeln. Als der ivorische Designer *O'Plérou Grebet* (*1997) feststellte, dass viele Aspekte der westafrikanischen Kultur in den Standard-Emojis nicht widergespiegelt wurden, beschloss er, seine eigenen zu entwerfen.

Schätzungsweise 6 Milliarden Emojis werden jeden Tag in die Welt geschickt. Ein Emoji ist eher ein Zeichen als ein Wort – vielleicht ist es sogar etwas, das unsere alten Vorfahren verstehen würden!

# Computersprache

Seit der Erfindung des Computers (wie wir ihn heute kennen) in den 1950er Jahren und des Internets im Jahr 1989 hat die Technik einen langen Weg zurückgelegt. Computer können komplizierte Aufgaben immer schneller erledigen. Sie treiben Maschinen an, die Probleme ähnlich lösen können wie Menschen. Dies wird als KI oder »künstliche Intelligenz« bezeichnet. 1997 besiegte der IBM-Computer Deep Blue den Schachweltmeister *Garri Kasparow* (*1963) – eine Leistung, die noch ein Jahrzehnt zuvor unmöglich schien.

Computer können auch so programmiert werden, dass sie den Menschen auf besondere Weise unterstützen. Der Wissenschaftler *Stephen Hawking* (1942–2018) konnte durch eine Krankheit viele seiner Muskeln nicht mehr gebrauchen, aber dank eines Computerprogramms, das er durch Zucken der Wangenmuskeln bediente, konnte er dennoch sprechen und schreiben. Er wurde für sein Werk zur Erweiterung unseres Verständnisses vom Universum und für seine Kommunikationsfähigkeiten gefeiert. Hawking hielt Vorträge, trat in der Öffentlichkeit auf und schrieb wissenschaftliche Bestseller, die sich millionenfach verkauften.

oloolllI olllolll ollollloo oolooooo
olloooool ollollo olloolloo oolooooo
olllolll ollolllI olllooolo ollollol oolooooo
olllollI ollooolol olllooolo olloolol oolooooo
olloloooo olloolol ollllooolo olloolol

Computer sind heute leistungsfähiger denn je zuvor. Sie kommunizieren in ihrer eigenen Sprache, dem *Code*. Sie verwenden Algorithmen
(eine Reihe von Anweisungen für den Computer), um Informationen
oder »Daten« zu sichten und zu sortieren. Jeden Tag werden Milliarden von Wörtern in Suchmaschinen wie Google eingegeben, die eine
Datenbank mit weiteren Milliarden von Wörtern durchforsten, um
unsere Suchanfragen zu beantworten. Dank ausgeklügelter Sprach-
programme können wir eine Sprache sofort in eine andere übersetzen.
Wir haben uns an virtuelle Assistenten auf unseren Smartphones und
in unseren Wohnungen gewöhnt, die auf Sprachbefehle reagieren,
und an Bots, die online auf Fragen antworten, aber auch Schaden
anrichten können.

Das nächste Kapitel in der Geschichte der Wörter ist noch nicht
geschrieben, aber Computer werden mit Sicherheit weiterhin eine
Rolle spielen. Wir wissen, dass sie erstaunliche Dinge leisten können.
Dank ihrer Fähigkeit, Muster zu erkennen und Codes zu knacken,
können sie Ärztinnen und Ärzten helfen, die Ausbreitung von Krankheiten zu verstehen, oder Gelehrten, alte Sprachen zu entschlüsseln.
Wir müssen sicherstellen, dass wir die erstaunliche Technologie,
die wir erfunden haben, auch weiterhin sinnvoll nutzen. Mit klug
gewählten Worten sollten wir uns dafür einsetzen, die Welt zu einem
besseren Ort zu machen.

SPIEL EULEN-
SONGS!

v. chr. steht für »vor Christus«
n. chr. steht für »nach Christus«

Historiker gingen ursprünglich davon aus, dass Jesus im Jahr Null geboren wurde, also zu Beginn der Neuzeit. Ereignisse, die sich vor seiner Geburt ereigneten, werden vom Jahr Null an rückwärts gezählt, Ereignisse nach seiner Geburt werden vorwärts gezählt. Wenn es offensichtlich ist, dass ein Datum in der Neuzeit liegt, wird »n. Chr.« nicht verwendet.

**VOR MINDESTENS 2 MILLIONEN JAHREN**

Urmenschen kommunizieren miteinander durch gemeinsame Laute und Zeichen. Dies ist der Beginn der Sprache.

**VOR 200.000 JAHREN**

Unsere Vorfahren beginnen die Sprache komplexer zu gebrauchen. Seit ca. 50.000 Jahren nutzen sie sie, um Geschichten zu erfinden und auszutauschen.

**SEIT ca. 3400 V. CHR.**

Die Sumerer entwickeln die Keilschrift mit keilförmigen Symbolen in Ton. Sie wird für Geschäfte, Geschichten und Gedichte verwendet.

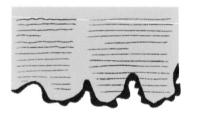

**ca. 300 V. CHR.**

Die Schriftrollen vom Toten Meer sind in hebräischer Schrift auf Papyrus und Tierhäute geschrieben. Sie enthalten die älteste bekannte Version der Bibel.

**ca. 285-246 V. CHR.**

Die Große Bibliothek von Alexandria wird in Ägypten gegründet. Sie enthält Bücher und Schriftrollen der Literatur, Mathematik, Philosophie und Wissenschaft.

**ca. 300 V. CHR.**

In Mittelamerika wird das Schriftsystem der Maya entwickelt. Es besteht aus 800 Symbolen und ist in Steinplatten, Skulpturen und Töpferwaren eingemeißelt.

**1604**

Das erste englische Wörterbuch wird von Robert Cawdrey veröffentlicht. Im Jahr 1755 gibt Samuel Johnson ein Wörterbuch mit 40.000 Wörtern heraus.

**1700-1800**

Immer mehr Menschen lernen lesen, und Bücher und Zeitungen werden billiger. Romane werden populär, da die Menschen beginnen, zum Vergnügen zu lesen..

**1799**

Der Stein von Rosette wird in Ägypten entdeckt. Er enthält drei unterschiedliche antike Schriften und wird von Experten benutzt, um Hieroglyphen zu übersetzen.

**SEIT ca. 3200 V. CHR.**

Die Ägypter ritzen Hieroglyphen in die Wände von Tempeln und Gräbern, darunter Zaubersprüche, die den Toten auf ihrer Reise ins Jenseits helfen sollen.

**ca.1600 – ca.1050 V. CHR.**

Im China der Shang-Dynastie werden Sprüche und Prophezeiungen auf Tierknochen geschrieben. Es sind die ältesten erhaltenen Aufzeichnungen des chinesischen Alphabets.

$$A B \Gamma \Delta E Z$$
$$H \Theta I K \Lambda M$$
$$N \Xi O \Pi P \Sigma$$
$$T \Upsilon \Phi X \Psi \Omega$$

**SEIT ca. 1000 V. CHR.**

Die Phönizier erfinden ein Alphabet mit 22 Buchstaben, die sich zu Wörtern zusammensetzen lassen. Daraus wird das griechische Alphabet, das wir heute noch verwenden.

**ca. 100 V. CHR.**

In China wird das Papier erfunden und um 800 n. Chr. werden Texte mithilfe von geschnitzten Holzblöcken auf Papier gedruckt. Jetzt kann ein Text viele Male kopiert werden.

**ca. 800 N. CHR.**

Mithilfe der Kalligrafie wird die handgeschriebene arabische Schrift in wunderschöne Kunstwerke verwandelt. Texte aus dem Koran werden mit Gold verziert.

**1440ER JAHRE**

Johannes Gutenberg erfindet in Deutschland den Buchdruck. Tausende Exemplare von Büchern können auf einmal gedruckt werden.

**SEIT 1867**

Die Erfindung der Schreibmaschine ermöglicht es den Menschen, schneller zu schreiben und das Geschriebene für andere Menschen leicht lesbar zu machen.

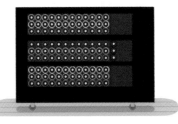

**1940ER JAHRE**

Während des Zweiten Weltkriegs liefern sich Computeringenieure einen Wettlauf um die Erfindung von Maschinen, die in der Lage sind, geheime Sprachcodes zu knacken.

**1983**

Das Internet wird erfunden, und 1989 verbindet das World Wide Web Menschen aus der ganzen Welt miteinander. Menschen können ihre Arbeit und Ideen kostenlos teilen.

# GLOSSAR

**ALGORITHMUS** eine Reihe von Regeln, die ein Computer befolgen muss, um eine Aufgabe zu erfüllen oder ein Problem zu lösen.

**ALLITERATION** die Verwendung des gleichen Lautes am Anfang mehrerer nahe beieinander stehender Wörter.

**GELEHRTE/R** eine Person, die ein Thema studiert und viel darüber weiß.

**GRAMMATIK** die Regeln, die erklären, wie Wörter in einer Sprache verwendet werden.

**HAIKU** ein japanisches Gedicht mit drei Zeilen und einer bestimmten Anzahl von Silben in jeder Zeile – fünf, dann sieben, dann fünf.

**HIEROGLYPHE** ein Symbol oder Bild, das ein Wort darstellt. Wird in einigen Schriftsystemen verwendet, zum Beispiel im alten Ägypten.

**INKANTATION** eine Reihe von Wörtern, von denen man glaubt, dass sie eine magische Wirkung haben, wenn sie gesprochen oder gesungen werden.

**INSKRIBIEREN** Wörter in einen Gegenstand einritzen oder schneiden.

**KEILSCHRIFT** eine Form der Schrift mit keilförmigen Zeichen, die seit über 3.000 Jahren in den Ländern des antiken Mesopotamien verwendet wird.

**KALLIGRAFIE** die Kunst des schönen Schreibens mit speziellen Stiften oder Pinseln.

**LIPOGRAMM** ein Text, bei dem alle Wörter, die einen bestimmten Buchstaben enthalten, absichtlich weggelassen werden.

**LIMERICK** ein humorvolles Reimgedicht mit fünf Zeilen und einem starken Rhythmus.

**LINGUIST/IN** eine Person, die viele Sprachen studiert und mehrere Sprachen spricht.

**MANTRA** ein Wort, ein Klang oder ein Satz, der als Gebet wiederholt wird. In den hinduistischen und buddhistischen Religionen sprechen die Menschen Mantras bei der Meditation.

**ONOMATOPOESIE** die Verwendung von Wörtern, die wie das Geräusch klingen, auf das sie sich beziehen. »Knall«, »Bumm« und »Zisch« sind alles Beispiele für Onomatopoesie.

**PAPYRUS** eine Art von Papier, das aus den Stängeln der Papyruspflanze hergestellt wird. Verwendet wurde es im alten Ägypten, Rom und Griechenland.

**PERGAMENT** die Haut eines Tieres, die stark gedehnt und getrocknet und dann zum Beschreiben verwendet wurde.

**SCHRIFTROLLE** eine lange Papierrolle mit Schrift. In der Antike wurden Informationen auf Schriftrollen gespeichert.

**SCHREIBER/IN** eine Person, die Briefe und Dokumente von Hand kopierte, bevor der Druck üblich war.

**SLOGAN** eine kurzer, meist knapper Spruch, mit dem Produkte oder eine Idee beworben werden.

**STYLUS** ein Werkzeug aus Holz, Metall oder Knochen, das im Altertum zum Schreiben auf Ton- oder Wachstafeln verwendet wurde. Mit der Spitze konnten Zeichen eingeritzt werden, das stumpfe Ende diente zum »Radieren«.

**SILBE** Einheiten, in die ein Wort unterteilt werden kann. Jede Silbe hat normalerweise einen Vokal (a, e, i, o oder u). »Frau« hat eine Silbe, »Mäd-chen« hat zwei.

**TAFEL** ein Stück Holz, das mit einer Schicht aus weichem Wachs oder Ton überzogen ist und mit einem spitzen Werkzeug, dem Griffel, beschrieben werden kann.

**ÜBERSETZUNG** ein Stück Schrift oder Sprache, die von einer Sprache in eine andere übertragen wurde.

**VERÖFFENTLICHEN** ein Buch, eine Zeitschrift oder eine Zeitung produzieren und verkaufen. Wenn ein Verlag ein Buch veröffentlicht, druckt er Exemplare und liefert sie an Buchhandlungen und Kioske zum Verkauf.

# QUELLEN

Es gibt reichlich Bücher über die Geschichte der Wörter und der Sprache, ganze Bibliotheken ließen sich damit füllen! Ich habe in Bücher aus meinem Regal und aus Bibliotheken, in Online-Artikel und auch in Fernsehdokumentationen reingeschaut. Die Folgenden haben mir besonders gut gefallen:

### BÜCHER

Bellos, David: *Was macht der Fisch in meinem Ohr? Sprache, Übersetzung und die Bedeutung von allem.* Eichborn, 2013.

Casely-Hayford, Gus (Autor/Hrsg.), Topp Fargion, Janet (Hrsg.) und Wallace, Marion (Hrsg.): *West Africa: Word, Symbol, Song.* London: The British Library Publishing Division, 2015.

Eagleton, Terry: *How to Read a Poem.* Malden: Blackwell, 2012.

Fischer, Steven Roger: *A History of Reading.* New edition. London: Reaktion Books, 2019.

Harari, Yuval Noah: *Sapiens: A Brief History of Humankind.* London: Harvill Secker, 2014.

Morley, Simon: *Writing on the Wall: Word and Image in Modern Art.* London: Thames & Hudson, 2007.

Robinson, Andrew: *Bilder, Zeichen, Alphabete: Die Geschichte der Schrift.* Lambert Schneider, 2013.

ShaoLan: *Chineasy: The New Way to Read Chinese.* London: Thames & Hudson, 2014.

Wolf, Maryanne: *Das lesende Gehirn: Wie der Mensch zum Lesen kam – und was es in unseren Köpfen bewirkt.* Spektrum Akademischer Verlag, 2009.

### PODCASTS & WEBSITES

Rosen, Michael: *Word of Mouth.* BBC Radio Four. 1992–heute.

UNESCO *Atlas of the World's Languages in Danger.* unesco.org/languages-atlas/ index.php?hl=en&page=atlasmap [Letzte Aktualisierung: 01/02/2022]

### TV & FILM

Davidson, John Paul (dir.), Fry, Stephen (Autor und Moderator). *Fry's Planet Word.* United Kingdom: BBC Two, 2011.

Sington, David (dir.). *The Secret History of Writing.* United Kingdom: BBC Four, 2020.

# ANTWORTEN

### Entschlüsseln! (Seite 69)

Bei einem einfachen Code ersetzt du einen Buchstaben durch einen anderen. Schreibe das Alphabet auf (A bis Z). Unter jeden Buchstaben schreibst du den Buchstaben, den du dafür einsetzen willst, zum Beispiel A=C, B=D, C=E, D=F ... und so weiter.

Wenn du das Wort »BAD« schreiben willst, schreibst du stattdessen »DCF« – und nur jemand mit dem Schlüssel zum Code würde dich verstehen können!

### Wortspiel (Seiten 70–71)

**Frage:** Es ist ein Haus. Man geht blind hinein und kommt sehend heraus. Was ist es?
**Antwort:** Eine Schule.

**Frage:** Wer hat eine Stimme, aber vier Beine am Morgen, zwei am Nachmittag und drei Beine am Abend?
**Antwort:** Ein Mensch! (Vier Beine am Morgen = Krabbeln auf Händen und Füßen als Baby; zwei Beine am Nachmittag = gehen auf zwei Beinen als Kind und Erwachsener; drei Beine in der Nacht = gehen mithilfe eines Stocks als alter Mensch.)

**Frage:** Kannst du dieses Anagramm lösen? AKRIBISCH NEUE SCHULDEN
**Antwort:** EIN SCHLAUES KINDERBUCH

# LISTE VON ILLUSTRATIONEN

Abmessungen in Zentimeter

Seite 17: Christine Sun Kim, *Alphabet from the Speller's Point of View*, 2019. Holzkohle und Ölpastell auf Papier, 125 x 125. Foto: Peter Harris Studio für MIT List Visual Arts Center. © Christine Sun Kim

Seite 23: Keilschrift-Tafel, Zählung von Ziegen und Schafen, ca. 2350 v. Chr., sumerisch, aus Telloh (damals Girsu). Musée du Louvre, Paris. Foto: Gianni Dagli Orti/Shutterstock

Seite 25: Kästchen aus dem Grab des Tutanchamun, 14. Jahrhundert v. Chr., ägyptisch, Museum of Egyptian Antiquities, Kairo. Foto: Heritage Images/Hulton Archive via Getty Images

Seite 26: Wang Xizhi, *On the Seventeenth Day*, Radierung (13. Jahrhundert) eines Textes aus dem 4. Jahrhundert, China. Album aus dreißig Blättern; Tusche auf Papier, 24,4 x 12,7. Metropolitan Museum of Art, New York. Schenkung von Mr. und Mrs. Wan-go H. C. Weng, 1991

Seite 35: Ausschnitt aus einer Ansicht der New York Public Library, 1911. 29 x 23. New York Public Library, Wallach Division Picture Collection

Seite 36: Der Heilige Georg erschlägt den Drachen, Stundenbuch, 15. Jahrhundert. Buchmalerei auf Pergament. Privatsammlung. Foto: Denis Chevalier/akg-images

Seite 43: Seiten aus Anne Franks Tagebuch, geschrieben im Oktober 1942. Foto: Anne Frank Fonds, Basel via Getty Images

Seite 51: Linnés Ordnungssystem, 1826. Botanische Illustration, veröffentlicht von T. Tegg in London, 1826. Foto: Historic Illustrations/Alamy

Seite 61: Magier, ca. 1870-80. Farblithografie. Foto: Kharbine-Tapabor/Shutterstock

Seite 62: Piccadilly Circus, London, ca. 1955. Alte Postkarte. Foto: Stefano Bianchetti/Bridgeman Images

Seite 65: Ed Ruscha, *OOF*, 1963. Öl auf Leinwand, 181,5 x 170,2. MoMA, New York. Foto: Paul Ruscha. Courtesy Gagosian. © Ed Ruscha

Seite 72: Hildegard von Bingen (1098–1179) am Schreibpult. Miniatur. Foto: Charles Walker Collection/Alamy Stock Photo

Seite 77: Rollensiegel, gewidmet der Göttin Ninishkun, zu sehen mit der Göttin Ishtar, ca. 2254–2193 v. Chr., Akkadische Periode. Oriental Institute Museum, University of Chicago

Seite 78: Edward Lear, There was an Old Man with a beard, 1846. Illustration aus *A book of Nonsense*, veröffentlicht von Frederick Warne & Co., London, ca. 1875. Foto: Mary Evans/Diomedia

Seite 87: Afrikanische Emojis von O'Plérou Grebet, ca. 2018. © O'Plérou Grebet

Übersetzung des Limericks auf S. 78: Heinz Hermann Michels

# INDEX

Ich möchte dieses Buch all den wunderbaren Autoren widmen, die jemals vor ihrer Tafel, ihrem Pergament, ihrem Papier oder ihrer Tastatur gesessen und etwas geschaffen haben, das die Welt lesen kann. Es ist auch für David, Arlo, Zubin, Quincy und Viola Schweitzer, die alle einen brillanten Umgang mit Wörtern pflegen. Und es ist für Chuckle – danke für den Weckruf! – M.R.

Die Geschichte der Wörter für Kinder

© 2023

Midas Collection
Ein Imprint der Midas Verlag AG
ISBN 978-3-03876-225-6

2. Auflage

Übersetzung: Claudia Koch
Lektorat: Silvia Bartholl
Layout: Ulrich Borstelmann
Cover: Agentur 21

Midas Verlag AG
Dunantstrasse 3, CH-8044 Zürich
E-Mail: kontakt@midas.ch
www.midas.ch

Englische Originalausgabe: A History of Words for Children © 2022 Thames & Hudson Ltd, London
© Text 2022 Mary Richards
Illustrationen © 2022 Rose Blake